JEUNESSE

COLLECTION DIRIGÉE PAR
ANNE-MARIE AUBIN

Alfred sauve Antoine

Données de catalogage avant publication (Canada)

Beauchemin, Yves, 1941

    Alfred sauve Antoine

    (Bilbo Jeunesse)

    ISBN 2-89037-890-X

    I. Titre. II. Collection.

PS8553.E172A75 1996   JC843'.54   C96-941262-2
PS9553.E172A75 1996
PZ23.B42Al 1996

Diffusion :
Éditions françaises, 1411, rue Ampère,
Boucherville (Québec), J4B 5Z5
(514) 641-0514 • région métropolitaine : (514) 871-0111
région extérieure : 1-800-361-9635 • télécopieur : (514) 641-4893

Dépôt légal : 4ᵉ trimestre 1996
Bibliothèque nationale du Québec
Bibliothèque nationale du Canada

Révision linguistique : Diane Martin
Montage : Julie Dubuc

Les Éditions Québec/Amérique bénéficient du programme de
subvention globale du Conseil des Arts du Canada.

Alfred sauve Antoine

YVES BEAUCHEMIN

QUÉBEC/AMÉRIQUE JEUNESSE

425, rue Saint-Jean-Baptiste, Montréal (Québec) H2Y 2Z7, tél. : (514) 393-1450

Du même auteur

L'Enfirouapé, roman, Éditions La Presse, 1974.
PRIX FRANCE-QUÉBEC, 1975

Le Matou, roman, Éditions Québec/Amérique, 1981.
PRIX DE LA VILLE DE MONTRÉAL 1982
PRIX DU LIVRE D'ÉTÉ, CANNES, 1982

Cybèle, Éditions Art Global, 1982 (tirage limité).

«Sueurs», dans Fuite et poursuite, nouvelle,
en collaboration, Éditions Quinze, l982.

Du sommet d'un arbre, récits,
Éditions Québec/ Amérique, 1986.

L'Avenir du français au Québec, en collaboration,
Éditions Québec/Amérique, 1987.

Premier amour, nouvelle, en collaboration,
Éditions Stanké, 1988.

Juliette Pomerleau, roman,
Éditions Québec/ Amérique, 1989.
PRIX DU GRAND PUBLIC DU SALON DU LIVRE DE MONTRÉAL –
LA PRESSE 1989
PRIX JEAN-GIONO 1990
GRAND PRIX LITTÉRAIRE DES LECTRICES DE ELLE 1990

Finalement!... les enfants, en collaboration avec
Andrée Ruffo, Éditions Art Global, 1991.

Une histoire à faire japper, roman, coll. Gulliver,
Québec/Amérique Jeunesse, 1991.

Antoine et Alfred, roman, coll. Bilbo,
Québec/Amérique Jeunesse, 1992.

Le Prix, livret de l'opéra, Productions Le Prix, 1993.

Le Second Violon, roman,
Éditions Québec/ Amérique, 1996.

À Rémi St-Onge-Coulombe

1

Un matin de mai, Antoine se brossait les dents avant de partir pour l'école lorsqu'Alfred pénétra dans la salle de bains. Il grimpa le long de la balance, trottina sur le rebord de la baignoire et s'arrêta près de son ami. Sa moustache raidie vibrait d'indignation.

— Antoine, j'ai à te parler.

Le garçon se retourna, les lèvres couvertes de mousse, et comprit qu'encore une fois le rat avait passé une mauvaise nuit.

— Qu'est-ce qui t'arrive?

—Je suis tanné de vivre en

parasite! lança Alfred de sa voix aiguë qui rappelait le grincement d'un peigne sur une vitre. Je veux gagner moi-même ma vie. Je veux... je veux... mon indépendance!

— Alfred, voilà dix fois que tu nous rabâches le même discours. Ça ne nous dérange pas du tout de te faire vivre, mon vieux. Tu ne nous coûtes presque rien. C'est comme si on avait un chat.

Horrifié par cette comparaison, Alfred arrondit les yeux, gonfla les joues et ne put répondre; la colère l'étouffait.

— Mais pourquoi... pourquoi vouloir à tout prix gagner ta vie? Est-ce que je la gagne, ma vie, moi? Je dépends de mes parents et je n'en fais pas toute une histoire : c'est normal!

Le rat eut une grimace condescendante :

— Toi, tu n'es qu'un enfant. Moi, je suis un adulte.

Antoine eut envie de répondre qu'un enfant valait bien un rat adulte, mais s'en abstint, par prudence.

— Alfred, l'orgueil te perdra. C'est l'orgueil qui te pousse ainsi. Tu dépends de nous pour vivre. Et alors? Où est le mal?

— Le mal est que je me sens comme une crotte de nez! éclata le rat, et il tapa de la patte sur la baignoire, passant près de tomber dedans.

La mère d'Antoine apparut en haut de l'escalier :

— Alfred, combien de fois je t'ai demandé de surveiller ton langage! On se croirait parfois dans une écurie.

— Qu'est-ce qu'elles ont, les écuries? riposta-t-il. De toute façon, hier soir, le spaghetti sentait le fumier.

Marie-Anne laissa tomber les bras, découragée, annonça à son fils que le moment de partir pour l'école approchait et disparut.

Antoine alla s'habiller en vitesse et descendit à la cuisine boire un verre de jus de pomme.

Son père achevait de déjeuner tout en observant Alfred qui, grimpé sur la table, feuilletait péniblement les petites annonces.

— Il se cherche un emploi, expliqua Jean-Guy avec une moue désemparée.

Alors Antoine se fâcha :

— Cesse de faire le con, Alfred, c'est à peine si tu sais lire. En revenant de l'école, je vais aller le voir, l'électricien, puisqu'il n'y a que ça pour te rendre heureux.

Il se tourna vers Jean-Guy :

— Est-ce que tu pourrais m'accompagner, papa?

2

Roméo Robinet avait son atelier rue Guillaume à Longueuil, à deux pas de la maison d'Antoine. On pouvait le trouver là vers la fin de l'après-midi, quand il revenait de ses chantiers. C'était un homme dans la trentaine, plutôt gai, très nerveux, avec de grands yeux un peu étonnés, qui essayait au moins trois fois par semaine d'arrêter de fumer, sans y parvenir, hélas! Tout le monde se moquait de son nom en disant que ce dernier aurait mieux convenu à un plombier, mais voilà, c'était son nom et, depuis bien des années, Roméo Robinet accueillait ce genre de plaisanteries avec une parfaite indifférence.

À quatre heures trente, Antoine, tout intimidé, se présenta seul à l'atelier, car son père, débordé de travail, n'avait pu quitter la pharmacie.

Une jeune secrétaire aux longs cheveux blonds tapait à l'ordinateur derrière un bureau couvert d'éraflures.

— Je voudrais voir Monsieur Robinet, annonça Antoine en rougissant.

— Il est au sous-sol en train de faire du rangement. Il en a pour un petit quart d'heure.

— Est-ce que je pourrais aller le trouver? demanda Antoine, qui préférait parler sans témoin.

La jeune fille posa sur lui un regard surpris :

— Bah... je suppose que oui.

C'est la porte à gauche, au fond.

Antoine enfila un vieil escalier et se retrouva dans un entrepôt de matériel électrique; de hautes étagères séparées par d'étroites allées occupaient tout l'espace. Il entendit un grand remue-ménage à sa gauche. Il avança, tourna un coin, aperçut deux jambes étendues sur le plancher de béton et, un peu plus loin, un mégot allumé tombé sur un vieux chiffon d'où s'élevait un petit filet de fumée grise.

— Qui va là? fit une voix légèrement inquiète.

— C'est Antoine Brisson, monsieur. Je suis venu vous parler affaires.

Les jambes disparurent, puis un homme entier apparut, son front luisant de sueur barré par une grande mèche de cheveux blonds.

— Parler affaires? dit-il, étonné.

— Oui, monsieur.

Mais, avant de poursuivre,

Antoine lui montra le chiffon, qui fumait de plus en plus.

— Ah! maudite cigarette! fit l'autre en écrasant rageusement le mégot de la pointe de son pied. Un de ces jours, je vais sacrer le feu à la bâtisse.

Il prit le chiffon, l'examina soigneusement, puis le posa sur une tablette.

— Merci, mon vieux. Et alors, de quelles affaires veux-tu me parler?

Antoine se troubla :

— Heu... c'est un peu compliqué. Ce que je vais vous dire va vous... surprendre énormément. Il faut me promettre de m'écouter jusqu'au bout.

— C'est promis, répondit l'autre avec un grand sourire.

— Est-ce que... est-ce qu'il vous arrive souvent d'avoir à passer des fils électriques dans les murs et les plafonds?

— Tous les jours.

— Est-ce que c'est difficile parfois?

— Souvent. Où veux-tu en venir?

— C'est que... j'aurais un moyen à vous proposer qui vous ferait gagner beaucoup de temps.

— Ah oui? Lequel?

Antoine avala sa salive. Il avait un point au ventre et regrettait à présent sa démarche.

— Je connais... quelqu'un... qui pourrait se faufiler dans les murs et les plafonds en tirant les fils derrière lui et les amener où vous voulez.

— Ah bon. Un schtroumpf, peut-être?

Et Robinet éclata de rire.

Antoine sentit une grande chaleur dans tout son corps et des picotements dans ses orteils.

— Pas du tout. Un rat.

— Un rat?

— Un rat.

— Un vrai rat?

— Aussi vrai que vous êtes électricien.

Roméo Robinet plissa légèrement les yeux et une expression d'agacement apparut dans son visage :

— Est-ce que par hasard, mon garçon, tu ne serais pas en train de te payer ma gueule... et, par la même occasion, de me faire perdre mon temps?

— Pas du tout, monsieur, assura Antoine, alarmé. Je suis très sérieux. Voulez-vous le voir?

Robinet regarda sa montre. Il avait l'air tout à coup très pressé de partir :

— C'est que, vois-tu... j'ai un rendez-vous dans dix minutes et je dois...

— Donnez-m'en cinq, monsieur, supplia Antoine, et je reviens avec mon rat et vous allez tout comprendre. S'il vous plaît! Seulement cinq minutes!

Ses yeux brillaient d'une telle sincérité que l'électricien, ébranlé, lui fit signe que oui.

— Un rat, murmura-t-il pendant qu'Antoine grimpait quatre à quatre l'escalier. Il a dressé un rat. Belle affaire! Mais comment un rat pourra-t-il me comprendre quand je lui dirai d'aller à gauche ou à droite, d'avancer de deux mètres ou de grimper jusqu'au plafond?

Il ouvrit d'un coup de pouce son paquet de cigarettes, l'observa un moment, puis le glissa dans sa poche avec un soupir.

— Alfred! cria Antoine en faisant irruption dans la maison, amène-toi, ça presse!

Il courut à la cave, attrapa une boîte de carton, déposa le rat dedans et s'élança de nouveau dans la rue.

— Allons, doucement, grogna Alfred. As-tu envie que je vomisse? Où est-ce qu'on s'en va?

— Chez l'électricien, répondit Antoine, hors d'haleine. Comme je te l'avais promis.

— Il est toujours au sous-sol, annonça la secrétaire en voyant apparaître l'enfant.

— Et alors, fit Robinet, voyons voir ce fameux rat!

Antoine souleva le couvercle, Alfred sortit la tête et posa sur l'électricien un regard peu aimable.

— Tu l'as apprivoisé?

— Euh... ouais.

Alfred grimpa sur un des rabats de la boîte et continua de fixer Robinet.

— Il n'a pas l'air de trop m'aimer. Et tu penses qu'il peut m'aider? ajouta-t-il avec un sourire moqueur.

— J'en suis sûr, monsieur.

Robinet avança d'un pas :

— Il fait un peu d'embonpoint. Quel âge a-t-il?

— Et toi, c'est ton nez qui fait de l'embonpoint, lança Alfred d'une voix acide.

L'électricien regarda Alfred, puis Antoine, puis Alfred encore une fois; il passa la main dans ses cheveux, poussa un grand soupir et murmura :

— T'es ventriloque ou quoi?

— Non, répondit Antoine, la voix frémissante de fierté, c'est lui qui a parlé.

— Mets ta main devant ta bouche, Antoine, ordonna le rat. Il verra bien que c'est moi qui parle.

Roméo Robinet recula de quelques pas et devint gris comme ses étagères. Pendant les minutes qui suivirent, il eut successivement l'impression d'être devenu fou, de subir une hallucination, de faire un rêve éveillé et d'avoir été pris au piège par l'émission *Surprise sur prise* !

Antoine crut qu'il allait perdre connaissance. Il lui apporta une chaise qui traînait dans un coin, le fit asseoir et lui conseilla de prendre de grandes inspirations. Pendant que l'électricien se remettait peu à peu, il lui raconta l'histoire d'Alfred; le rat ajouta lui-même quelques remarques de son cru. Au bout d'un quart d'heure, Robinet se sentit mieux; il glissa la main dans sa poche et sortit son paquet de cigarettes.

Alfred grimaça de dégoût :

— Je t'en prie, ça pue tellement!

D'un geste brusque, Robinet fit disparaître le paquet.

Le rat inclina la tête avec un grand sourire :

— Merci.

L'électricien se mit à causer avec

lui. Un deuxième quart d'heure passa. À présent, Robinet trouvait l'affaire de plus en plus amusante. Quelle tête ferait son amie quand il la lui raconterait! Elle croirait sûrement que tous les fusibles de son cerveau avaient sauté!

— Justement, il ne faut rien dire, recommanda Antoine.

— C'est un secret, ajouta Alfred. Autrement, on aurait trop de désagréments. Vraiment trop.

Le rat lui fit jurer de garder bouche cousue.

— Je peux tout de même en parler à mon amie, non?

— Est-ce qu'elle est bavarde? demanda Alfred.

— Je réponds d'elle. Si je lui demande de se fermer le clapet, on pourrait la passer dans un moulin à viande, elle ne l'ouvrira pas!

— Bon, ça va. Si on allait souper, maintenant? Je commence à sentir un creux à l'estomac.

Robinet tendit le pouce et l'index pour lui serrer la patte :

— Alors, ici même demain matin à huit heures? J'ai hâte de te voir à l'œuvre.

Alfred leva vers lui un regard prétentieux :

— Je vais t'époustoufler, mon vieux. Tu vas avaler ton dentier.

— À demain, fit Antoine en serrant la main de l'électricien.

Il retourna chez lui, balançant doucement la boîte de carton tandis qu'à l'intérieur le rat, couché sur le dos, les yeux fermés, se laissait rouler d'un côté et de l'autre avec un sourire d'aise.

«Il faudra que je demande à mes parents la permission de manquer au moins un jour d'école, se disait Antoine. Je veux voir comment cet électricien va traiter Alfred. Après tout, je ne le connais pas.»

3

Le lendemain, Alfred émerveilla Roméo Robinet. Ce dernier devait changer le circuit électrique d'une vieille maison de la rue Saint-Charles à Longueuil. Ils arrivèrent sur les lieux vers huit heures dans une fourgonnette pleine de matériel électrique et de morceaux de pain séchés; chaque matin, en effet, Robinet allait chercher un café et des rôties au restaurant du coin et déjeunait derrière le volant, lançant les croûtes au fond du véhicule, car il les avait toujours détestées.

— Très bonnes, ces croûtes, remarqua Alfred, la gueule pleine. Est-ce que je peux les mettre dans un sac et les emporter chez moi? Ça me ferait une collation la nuit.

Antoine eut une grimace de dégoût :

— Pouah! Elles sont pleines de poussière!

— La poussière, mon vieux, c'est délicieux sur le pain, répliqua le rat. On voit que tu n'y as jamais goûté.

Roméo s'était mis à transporter de gros rouleaux de fils jusqu'à la maison. Une jeune femme en talons hauts passa lentement devant eux sur le trottoir. L'électricien la caressa du regard, puis, se penchant à l'oreille d'Antoine :

— Jolie, hein? Mais tu es peut-être encore trop jeune, se reprit-il aussitôt, pour t'intéresser à ce genre de choses.

— Pas du tout, répliqua Antoine,

piqué. Moi aussi, je la trouve très jolie.

Ils pénétrèrent dans la maison. Antoine et Alfred firent le tour des pièces vides, puis un bruit de perceuse leur apprit que l'électricien avait commencé son travail.

— Tu en aurais eu pour combien de jours ici, tout seul? demanda Alfred en s'approchant de Robinet.

— Trois, sinon quatre.

— Alors, à l'ouvrage! Je vais te montrer ce que je vaux.

Robinet agrandit le trou qu'il venait de percer afin qu'Alfred puisse y pénétrer.

Le rat y glissa la tête :

— J'ai besoin de lumière. Il fait noir là-dedans comme dans la bedaine d'un crapaud.

Antoine courut à la quincaillerie acheter une minuscule lampe de poche. La veille, Robinet avait confectionné un petit attelage en cuir auquel il avait fixé un crochet. Le rat enfila l'attelage tandis que l'électricien recourbait le bout d'un fil électrique autour du crochet, puis fixait la lampe de poche sur son dos à l'aide d'un élastique.

— Ça me coupe le souffle, se plaignit Alfred.

— Que veux-tu, c'est la vie, répondit Antoine.

Robinet prit le rat dans sa main et le posa sur le rebord du trou :

— Vas-y, mon vieux. Il faut grimper jusqu'au plafond, puis te rendre au milieu de la pièce.

— J'écrase sous le poids, soupira Alfred.

— De grâce, cesse de te plaindre, fit Antoine, tu vas nous rendre fous.

Robinet tapota le dos d'Alfred :

— Je vais pousser le fil tout doucement derrière toi. Tu n'auras qu'à le guider. Attention aux clous !

Les murs et les plafonds se rem-

plirent de grattements et de frottements. Alfred peinait, soupirait, éter-
nuait. Parfois, il poussait un juron.
Ou, alors, il donnait un ordre, et ce
n'était pas toujours de sa voix la
plus aimable. À un moment, il
s'égratigna la bedaine contre un
clou et parla de tout abandonner.
Antoine et Robinet l'encouragèrent,
car le travail avançait vite.

À la fin de l'avant-midi, le rez-
de-chaussée était presque terminé.
À quatre heures, tout était fini.

— Je suis épuisé, murmura
Alfred en se laissant tomber d'un
plafond dans les mains de l'électricien. Il me faut de la limonade.

— Je t'offre de la bière, si tu
veux, s'écria Robinet, enchanté.
Te rends-tu compte? Je viens de
gagner deux jours d'ouvrage!

Le rat eut un clignement d'œil
narquois :

— Alors, il est temps de parler salaire.

Étendu sur une boîte de carton, il se laissait masser le dos par Antoine.

— Combien êtes-vous prêt à offrir? demanda ce dernier en levant son regard vers l'électricien.

— Quatre-vingts dollars par jour. Ça vous va?

— À cent, je marche, répondit le rat.

L'électricien tendit la main :

— L'affaire est dans le sac.

Robinet revint bientôt avec des bouteilles de limonade et des pailles. Alfred but la sienne dans une soucoupe, car il avait peur de s'étouffer.

— Alors, tu es satisfait? demanda-t-il à Robinet.

— Mon vieux, si je ne me retenais pas, je t'embrasserais sur les deux joues.

— Tu n'es pas obligé de te retenir, tu sais, fit Alfred avec un de ces sourires qui allaient droit au cœur.

4

Trois semaines plus tard, Roméo Robinet avait doublé son chiffre d'affaires. Les clients s'émerveillaient de sa rapidité et de la qualité de son travail. Certains voulaient le voir à l'œuvre. Il refusait, prétextant qu'il ne travaillait bien que seul. En fait, on ne lui laissait pas le choix : Alfred, qui détestait la publicité, voulait garder l'incognito. Et puis, l'électricien avait peur de se faire chiper son précieux assistant par un concurrent. Quand un client insistait pour l'observer à l'ouvrage, Alfred allait se cacher dans un coin et l'électricien se débrouillait sans lui. Le client, déçu, s'en allait bientôt.

Robinet avait rapidement gagné la confiance d'Antoine et de toute sa famille. On lui confiait le rat plusieurs fois par semaine. Alfred adorait travailler en sa compagnie. Chaque fois qu'il venait le prendre à la maison, l'électricien avait un cadeau pour lui : des noix de cajou, des amandes, un morceau de gruyère (un peu moisi, comme l'aimait Alfred), des grains de café (mais décaféiné, car il avait les nerfs fragiles).

Quand Alfred se sentait fatigué de traîner ses fils entre les madriers poussiéreux et de se râper la bedaine sur les lattes et les bourrelets de ciment qui retenaient le plâtre, il n'avait qu'à sortir la tête d'un trou et crier :

— Repos !

Robinet le prenait alors dans ses

mains et l'installait sur une petite chaise longue qu'il lui avait confectionnée et ils causaient de choses et d'autres en buvant de la limonade.

Alfred ne lui trouvait qu'un défaut : cette malheureuse habitude de fumer, qui le faisait tousser comme un tuberculeux et empester tout le monde. Quand son envie le torturait trop, l'électricien devait aller tirer une touche dehors.

— La fumée me donne la diarrhée, expliqua le rat un jour.

— Je ne te crois pas.

— Je ne te demande pas de me croire, mais de faire ce que je te dis.

— Ce n'est pas Alfred qu'on aurait dû t'appeler, soupira l'autre, mais Napoléon.

— Excellente idée! Dès que j'aurai un peu de temps, je ferai changer mon nom.

— Changer ton nom! Comme si on inscrivait les rats sur un registre d'état civil!

— Qu'en sais-tu, grosse tête? Nous avons notre système à nous. Il vaut bien le vôtre.

*

Un bon matin, Alfred se présenta devant Jean-Guy pendant que celui-ci enfilait son pantalon dans la chambre à coucher.

— Tu as vraiment les jambes très poilues, tu sais.

— C'est normal, répondit le pharmacien, un peu mal à l'aise. Bien des hommes sont comme ça. Qu'est-ce que tu tiens dans tes pattes?

— Quelque chose pour toi.

Et le rat lui tendit un petit rouleau de papier rose retenu par un élastique.

— Un billet de mille dollars!

Alfred rayonnait de fierté:

— C'est pour te rembourser mes frais d'hospitalisation après cette histoire à l'hôtel de ville.*

— Mais, Alfred, je n'en veux pas! Garde cet argent.

— Il n'en est pas question! siffla le rat. Je ne vis aux crochets de personne, moi. Tu prends l'argent ou je m'en vais!

Jean-Guy contempla Alfred un moment, puis poussa un soupir :

— Bon, si c'est comme ça...

Et il déposa le billet sur la commode.

Rassemblés devant la porte de la chambre, Marie-Anne, Alain, Antoine et Judith, les yeux tout ronds, observaient la scène en silence.

— Fed fâssé? fit Judith. Pouquoi Fed fâssé?

— Parce qu'il a trop bon cœur, répondit Marie-Anne d'une voix émue.

— Un rat qui donne un billet de mille dollars à quelqu'un! murmura Alain. Si je racontais ça à l'école, on m'enfermerait.

---

* Voir *Antoine et Alfred*

Pour célébrer le beau geste d'Alfred, Marie-Anne prépara durant l'après-midi un gâteau au fromage (le dessert favori du rat) et invita l'électricien à souper. Il vint avec Adèle, son amie. Adèle travaillait comme coiffeuse chez Les Barbières, rue Saint-Jean. C'était une petite blonde vive et affairée avec des yeux qui faisaient fondre les clients et une voix claire et soyeuse qu'on n'oubliait jamais une fois qu'on l'avait entendue. Elle recevait une ou deux demandes en mariage par mois, mais se trouvait très bien avec Roméo Robinet qui, pour lui plaire, aurait transporté des maisons dans ses bras ou du moins aurait essayé. Elle n'avait que deux défauts à ses yeux : une passion immodérée pour les téléromans (elle les regardait tous)... et la phobie des rats.

L'électricien avait essayé sans succès de lui présenter Alfred.

Malgré tous ses éloges, la simple mention du mot «rat» la faisait blêmir; elle devait alors s'asseoir devant un ventilateur en prenant de grandes inspirations, sous peine de perdre connaissance.

C'était une grande preuve d'amour qu'elle donnait à son ami que de l'accompagner ce soir-là chez les Brisson. Alfred avait été prévenu de sa visite et avait préparé quelques petits numéros pour l'aider à vaincre sa peur et lui montrer que tous les rats ne méritaient pas cette réputation de bêtes cruelles et dégoûtantes qu'on leur avait faite si injustement.

Piétinant son orgueil, il se roula par terre sur le plancher comme un chat, se laissa habiller en astronaute, puis, quittant son costume, grimpa sur la tête de Judith et plongea dans un bol d'eau en éclaboussant tout le monde.

Adèle sourit un peu, mais sa

pâleur et sa respiration saccadée trahissaient son effroi. Après les hors-d'œuvre, elle dut retourner chez elle.

— C'est d'un psychiatre qu'elle a besoin, cette pauvre fille, grommela Alfred, sarcastique. Graisse à chat! elle est maboule!

— Allons, allons, fit Jean-Guy, laissons les insultes et buvons à ton nouveau métier, Alfred.

— Oui, buvons! lança le rat.

Il prit une grande gorgée de limonade et s'étouffa. Antoine dut soulever ses pattes de devant et lui donner de petites tapes dans le dos.

— J'ai l'impression, Alfred, le taquina Alain, que tu t'envoies plus de liquide que tu ne peux en prendre.

— Et moi, rétorqua l'autre, j'ai l'impression que tu parles plus que tu ne penses.

— Les enfants! avertit Marie-

Anne en tambourinant sur la table.

— Fed! zentil! ordonna Judith.

— Cette escalope au roquefort est vraiment délicieuse, déclara Roméo Robinet, la fourchette en l'air.

— Tu n'as pas vu le gâteau au fromage, répondit le rat.

Tout le monde parlait à la fois, on lançait des plaisanteries, la limonade et le vin coulaient joyeusement, Marie-Anne souriait en voyant les assiettes se vider, Jean-Guy venait de décider de s'acheter une chaloupe avec les mille dollars d'Alfred.

Le moment du dessert arriva. Le rat se fit resservir deux fois, puis se plaignit de lourdeurs à l'estomac.

— Ne te couche pas trop tard, mon vieux, lui recommanda Robinet. On a du pain sur la planche demain. Demain... et pour quelques semaines.

Sa voix avait pris un ton à la fois joyeux et un peu craintif. Tous les regards se tournèrent vers lui.

— Je viens d'obtenir le plus gros contrat de ma carrière, annonça l'électricien, radieux.

— Bravo, dit poliment Jean-Guy.

— On m'a demandé de refaire tout le système électrique du manoir Chicou-Divert. Soixante-trois pièces!

— Et... où est ce manoir? demanda Marie-Anne en feignant l'indifférence. Je ne le connais pas.

Roméo Robinet porta brusquement la main devant sa bouche, comme pour bloquer la sortie d'un rot :

— Euh... c'est justement de cela que je voulais vous parler. L'endroit pose un petit problème.

Son regard fit le tour de la table :

— C'est à Québec.

Il y eut un profond silence.

— À Québec? répéta faiblement Antoine.

— Bébec? Bébec? gazouilla Judith en agitant son plat au-dessus de sa tête.

— Est-ce que ça veut dire, demanda Alain à voix basse, qu'on ne verra pas Alfred pendant plusieurs semaines?

Robinet se tourna vers Jean-Guy et Marie-Anne avec un sourire crispé:

— Bien entendu, rien ne se fera sans votre permission.

— Ni la mienne, ajouta sèchement Alfred.

Un petit rire se fit entendre, sans qu'on puisse savoir d'où il venait.

Judith lança son plat à l'autre bout de la pièce, mais personne n'y porta attention.

— Ma décision est prise et j'y vais, annonça Alfred. Roméo est un bon gars. Il s'occupe très bien de moi. Et puis, je vais gagner un tas d'argent. Je pourrai bientôt le placer à la Bourse et, avec un peu de chance, je deviendrai millionnaire. J'aimerais bien voir, alors, l'air de mes parents!

5

Robert Legault, le grand ami d'Antoine, dormait mal depuis quelque temps. Était-ce l'approche du bulletin (il avait coulé son examen de mathématiques)? Était-ce plutôt ce fameux rendez-vous chez le dentiste, dont il n'était plus séparé à présent que par trois petits jours? Ou alors cette cassette de *La Maison pourrie* qu'il venait de visionner encore une fois, où un couple de vieux dégoûtants s'amusaient à fracasser des crânes d'enfants pour en faire du potage en conserve?

Non. C'était Alfred. Alfred qu'il

n'avait pas vu depuis trois semaines. «Il travaille, je vous dis», lui répondait Antoine, sans daigner fournir plus d'explications. «Il travaille très fort.»

Alfred avait un sale caractère, mais c'était un sale caractère dont on n'arrivait pas à se passer. Alfred engueulait tout le monde, mais, par contre, tout le monde pouvait l'engueuler... à condition, bien sûr, d'avoir raison! Et puis, de temps à autre, sans avertir, il avait de ces délicatesses qui vous transformaient le cœur en sucre à la crème. Robert se rappelait cette fois où le rat lui avait apporté en cadeau un paquet de cartes de hockey pour le récompenser d'avoir obtenu dix sur dix, la veille, dans sa dictée.

— Je ne te promets pas un paquet à chaque dictée, tout de même, avait-il pris soin d'ajouter. Ça coûte cher, ces cartes!

Mais on voyait à sa mine qu'il avait envie de lui en apporter des brouettées.

Ce matin-là, pendant la récréation, Robert alla trouver Michel Blondin.

— Mon vieux, cette histoire d'Alfred, j'en ai par-dessus la tête! Pas toi?

Michel le regarda un moment et ferma à demi les yeux en esquissant un petit sourire. Quand il souriait ainsi, Robert avait un goût furieux de lui mettre son poing sur le nez.

— Tu ne vas tout de même pas te mettre à pleurer, non? dit Blondin.

— Qui parle de pleurer? répondit l'autre en luttant contre les larmes. Tu ne t'ennuies pas, toi?

— Eh bien, oui, avoua Michel. Mais j'essaie de tenir le coup. Je pense à autre chose. Fais comme moi.

— Eh bien, moi, je n'y arrive pas. Il faut tirer cette affaire au clair. Alfred travaille? C'est de la frime. Pourquoi un rat travaillerait-il? Les parents d'Antoine le font vivre : ça coûte deux fois rien! Il n'a qu'à se promener, croquer des amandes, dormir, regarder la télé. Moi, mon vieux, je pense qu'Alfred est malade ou qu'il a disparu, ou quelque chose comme ça, et qu'on nous cache la vérité, je ne sais pas pourquoi. Tiens, regarde Antoine, là-bas, près de l'arbre, en train de se fouiller dans le nez comme un idiot. Viens. On va lui faire cracher son fameux secret.

— Allez, Antoine, ça suffit, lança Michel en l'abordant. Dis-nous où est passé Alfred.

— On veut le savoir tout de suite, appuya Robert.

— Et si je ne parle pas, fit Antoine avec une grimace provocante, est-ce que vous allez me péter la gueule?

— Peut-être pas tout de suite, répondit Michel, mais on y pense.

— Eh bien, je vous répète que je ne veux rien vous dire parce que je ne *peux* rien vous dire.

— Pourquoi? demanda sournoisement Robert.

— Si je te réponds, je brise ma parole.

— Quelle parole?

— La parole que j'ai donnée de ne rien dire, c't'affaire!

Robert s'avança, furieux :

— T'as pas plus donné ta parole que t'as donné tes caleçons pleins de pets! On n'y croit pas, au travail d'Alfred! Il est malade ou perdu *ou peut-être mort*, et tu n'oses pas nous l'annoncer, poule trois fois mouillée!

Michel Blondin lui mit la main sur l'épaule :

— Écoute-moi bien, Brisson : si tu nous trompes, on est libérés de notre promesse. Fini, le secret! On annoncera à tout le monde que tu possèdes un rat qui parle. Et alors... tu te débrouilleras comme tu pourras, espèce de dindon à bretelles!

Antoine eut alors une réaction qui stupéfia ses amis. Au lieu de répondre à leurs insultes par d'autres insultes ou même par des taloches, ce qui aurait déclenché une bataille qui les aurait amenés chez le directeur qui les aurait mis en retenue, très calmement, il répondit :

— Je comprends vos inquiétudes, les gars. Donnez-moi deux jours et vous saurez tout.

Alfred téléphonait chaque soir chez les Brisson et parlait à tout le monde, même à Judith, qu'il adorait. Ce soir-là, il annonça à Antoine que les travaux prenaient plus de temps que prévu; on devrait les prolonger de cinq ou six jours.

— Eh bien, mon vieux, je ne tiendrai plus longtemps! La pression est trop forte, la bouilloire va sauter!

Et il lui rapporta les propos de Robert Legault et de Michel Blondin – et leurs menaces.

— Tu devrais leur téléphoner, suggéra Antoine. Ça les calmerait.

— Belle idée! Et si je tombe sur un de leurs parents, je me présente comme qui, avec ma voix toute cassée? Un dégustateur d'eau de Javel? Non, j'ai une meilleure solution. Et, en plus, j'ai une histoire très bizarre à te raconter.

Ils parlèrent longtemps au téléphone. Puis ce fut au tour d'Alain. Ce dernier faisait semblant depuis trois semaines de ne pas s'ennuyer d'Alfred, car à treize ans, selon lui, il était ridicule pour un garçon d'éprouver de pareils sentiments.

Mais, en fait, il trouvait le temps très long, surtout le matin. Chaque matin, en effet, après le déjeuner, Alfred l'aidait à faire ses mots croisés. Or, depuis que Roméo Robinet l'avait emmené dans cette foutue ville de Québec, le goût des mots croisés l'avait quitté, comme ça.

Le rat sentit sa tristesse et se montra particulièrement gentil. C'en fut trop.

— Je m'ennuie de toi, Alfred, laissa tout à coup échapper Alain. Tout le monde s'ennuie de toi, ici.

— Moi aussi, je me morfonds, répondit le rat, touché. J'ai hâte de revoir ton début de moustache. Est-ce qu'elle pousse toujours aussi bien?

— Évidemment. Elle est déjà beaucoup plus belle que l'espèce de truc en fil de fer que tu portes sur le museau.

Ils continuèrent de la sorte un

moment, puis durent raccrocher, car les frais d'interurbains (qu'Alfred assumait) menaçaient de l'empêcher de devenir millionnaire.

En remontant à sa chambre, Alain eut le goût de causer avec son jeune frère. De causer d'Alfred, tiens. Il se tourna vers la chambre d'Antoine, mais ce dernier était déjà au lit et ses lumières éteintes.

— Quelle histoire bizarre, murmurait Antoine en bâillant. Je me demande bien ce qui se fricote dans ce fameux manoir...

Et il s'endormit en rêvant qu'il était devenu tout à coup aussi petit qu'Alfred et se promenait avec lui dans les murs en tirant des fils électriques qui, chose curieuse, sentaient la réglisse à plein nez.

6

En se rendant à l'école le lendemain matin, Antoine transmit une proposition d'Alfred à Michel Blondin et à Robert Legault : s'ils voulaient bien se rendre chez les Brisson après le souper, le rat accepterait de leur parler au téléphone pour leur prouver qu'il était bel et bien vivant et qu'Antoine n'était ni une poule trois fois mouillée ni un dindon à bretelles.

— J'y suis allé un peu fort hier, admit Robert. Excuse-moi.

Il se tourna vers Michel :

— Et alors ? Tu ne présentes pas

tes excuses, toi aussi?

— Ça va, ça va, bredouilla
l'autre, j'ai déconné, je le reconnais.
Passons à autre chose, voulez-
vous?

Et les trois amis scellèrent leur
réconciliation en s'arrêtant au dé-
panneur pour acheter des petits
gâteaux.

Ce fut Robert, encore tout essouf-
flé par sa course, qui, le premier,
saisit le combiné que lui tendait
Antoine.

— Et alors, incrédule! fulmina
Alfred, c'est toute la confiance que
tu témoignes à celui qui m'a sauvé
la vie?

— Euh... nous t'avons sauvé la
vie tous les trois, Alfred, si tu te
rappelles bien, rectifia le garçon
en bafouillant.

— C'est vrai, reconnut le rat, un

peu radouci. Mais ce n'est pas une raison pour traiter Antoine de poule, de dindon ou de je ne sais plus quoi! Vous n'avez pas plus confiance en sa parole que dans les menteries d'un menteur en train de mentir. C'est une honte! Et alors, es-tu rassuré sur mon sort, à présent?

— Je suis très rassuré, Alfred. Je n'ai jamais été aussi rassuré de toute ma vie.

— Bon, ça va. J'ai hâte de me retrouver sur ton épaule. Passe-moi Michel, à présent.

Michel lui parla un moment, puis se tourna vers ses deux compagnons, l'œil rond et brillant. On aurait cru qu'il allait s'envoler au plafond tant il était ravi.

— Vous savez quoi? Alfred nous invite à venir le voir à Québec samedi prochain!

— Je le savais, fit Antoine en prenant un petit air supérieur. On va lui rendre visite toute la famille. Vous monterez dans notre auto. On n'aura qu'à se tasser un peu.

Une petite voix hérissée d'aiguilles résonnait dans le combiné :

— Antoine! Je veux parler à Antoine, maintenant!

— Ton tour, fit Michel en lui tendant l'appareil.

Antoine parla peu, écouta beaucoup. Ses amis, étonnés, observaient son visage, qui s'assombrissait de plus en plus.

— Que se passe-t-il? lui demanda Robert Legault lorsqu'il raccrocha.

— Oh, rien. Des niaiseries...

Et il détourna le regard.

— Encore des secrets, hein? fit Michel. Bon. Eh bien, moi, je m'en vais terminer mes devoirs. Salut.

Et il quitta la pièce le nez en l'air, la mine offensée.

Robert le suivit et Antoine monta à sa chambre repasser sa leçon de géographie. Mais, à tous moments, il levait la tête et son regard, franchissant la fenêtre, se perdait parmi les arbres et les toitures.

— Qu'est-ce qui se passe dans ce fameux manoir? murmurait-il, de plus en plus soucieux.

Il alla trouver son père et eut une courte conversation avec lui.

— Rémi Brandt? fit Jean-Guy. Jamais entendu ce nom. Ce n'est sans doute pas quelqu'un de très important. À ta place, mon vieux, je me concentrerais plutôt sur mes leçons.

7

Antoine se réveilla plusieurs fois cette nuit-là. La pensée qu'il reverrait Alfred dans quelques heures le remplissait de frémissements qui éclataient soudain dans sa tête comme des gerbes d'étincelles multicolores. Les yeux dilatés, il arrivait alors à distinguer dans l'obscurité son canif posé sur un bureau, une paire de bas qui s'empoussiérait sous une chaise et même les craquelures dans la porte de sa garde-robe.

À six heures, il s'habilla et descendit à la cuisine préparer un goûter pour le voyage. Alfred adorait la saucisse fumée. Il décida de lui en trancher de petites rondelles. Mais son coude frappa une casserole qui alla danser sur le plancher, puis dégringola l'escalier de la cave en poussant des jappements métalliques.

Jean-Guy bondit de son lit comme si on lui avait plongé dans la fesse une aiguille à tricoter :

— Pour l'amour de Dieu, bégaya-t-il en apparaissant dans la cuisine, veux-tu bien me dire ce que tu fiches en bas à une heure pareille?

— Excuse-moi, papa, j'ai fait tomber une casserole.

— Une casserole! Et qu'est-ce que tu faisais avec une casserole, Antoine?

— Euh... rien du tout... En fait, je me préparais un petit goûter pour le voyage. C'est que... c'est que, vois-tu, je n'arrivais plus à dormir et que...

— Eh bien, nous sommes tous dans ton cas, à présent, répondit son père en entendant des pas à l'étage au-dessus.

Alain apparut derrière lui :

— Qu'est-ce qui se passe, papa? Ah! Ce petit con.

— Ah! Ce grand con, répliqua Antoine.

Jean-Guy leva les bras :

— Non, non et non! Il ne sera pas dit que vous allez vous engueuler à six heures du matin dans cette maison. Antoine, dans ta chambre! Et toi, dans la tienne! Je ne veux pas entendre un bruit avant sept heures.

Le pharmacien retourna se coucher et raconta l'incident à sa femme; elle caressait Judith qui venait de se jeter dans ses bras en pensant que des bandits attaquaient la maison.

— Il faut le comprendre, Jean-Guy. Il l'aime tellement, son rat!

Ces trois semaines ont été dures pour lui. Et pour tout le monde. Je ne veux plus qu'Alfred parte aussi longtemps.

Jean-Guy ferma les yeux, bien décidé à se rendormir. Mais le sommeil lui tira une langue de trois pieds et s'enfuit par la fenêtre visiter dans la maison voisine un vieux monsieur malade qui avait passé une nuit blanche assis dans un fauteuil.

— Eh bien, soupira le pharmacien en se levant, il semble bien que la journée vient de commencer.

À sept heures, tout le monde était prêt à partir.

Marie-Anne s'approcha d'Antoine :

— Téléphone donc à tes amis, au cas où ils seraient prêts eux aussi.

Quelques minutes plus tard, ils sonnaient à la porte.

— J'ai mal dormi cette nuit,

annonça Michel.

— Et moi, je n'ai pas dormi du tout, ajouta Robert.

— Alfred? fit Antoine.

Ils hochèrent tous les deux la tête. Jean-Guy se mit à rire :

— Eh bien, allons voir ce cher Alfred, avant que vous ne deveniez insomniaques.

Le soleil commençait à peine à chauffer le plumage des corneilles dans les champs lorsque la familiale des Brisson enfila le pont Pierre-Laporte. De l'autre côté du fleuve, la ville de Québec commençait vaillamment sa journée.

— Est-ce qu'on est encore loin, papa? demanda Antoine pour la dixième fois.

— Deux petites journées, et on y est, ricana Alain.

Antoine lui jeta un regard offensé

et ne répondit rien.

Le manoir Chicou-Divert se trouvait à l'autre extrémité de la ville, près des chutes Montmorency. L'auto se mit à filer sur une voie rapide.

— Et tu ne sais vraiment pas à quoi travaille Alfred dans ce fameux manoir? fit Michel avec une moue sceptique.

— Puisque je te dis.

— Alors, pourquoi nous racontais-tu l'autre fois qu'Alfred t'obligeait à garder le secret? demanda Robert, encore plus sceptique.

— Alfred vous expliquera tout lui-même, coupa Marie-Anne pour mettre un terme à la discussion.

Ils roulaient maintenant dans une rue bordée de grandes maisons entourées d'arbres dont chacune devait valoir au moins cinq mille bicyclettes de course haut de gamme.

Impressionnés, les trois amis

gardaient le silence. Alain, pour montrer que ces grosses cabanes de riches ne lui faisaient pas plus d'effet qu'une vieille boîte de conserve écrasée, se mit à siffloter. Judith, qui dormait dans son siège, la tête penchée en avant, ouvrit un œil, puis le referma aussitôt.

Un long mur de pierre apparut à leur droite, percé d'une grille ornementale.

— Le 247, c'est ici, annonça Jean-Guy en arrêtant. Antoine, va sonner, veux-tu?

Ce dernier posait le pied sur le trottoir lorsque la grille s'ouvrit d'elle-même avec un glissement huilé.

Michel et Robert échangèrent un regard stupéfait. Antoine remonta dans l'auto, qui s'avança dans un parc planté d'arbres majestueux.

«Je pourrais grimper dans celui-ci avec Alfred, pensait Antoine, et on verrait toute la ville et peut-être même d'autres villes au loin. Le vent nous balancerait d'un côté et de l'autre et Alfred se collerait contre moi.»

— Où est le manoir? demanda Alain.

L'allée tourna et le manoir apparut, précédé d'une grande pièce d'eau où s'élevaient de longs jets en panache. C'était un édifice de pierre si beau et si imposant qu'Alain arrêta de siffloter et resta la bouche ouverte.

— Alfred! s'écria tout à coup Michel en apercevant le rat. Mais il a perdu la tête ou quoi?

Un énorme chat jaune s'avançait lentement vers eux dans l'allée en leur jetant des regards inquiets. Chacun de ses pas semblait lui coûter un effort immense et il arrêtait à tous moments pour souffler. Alfred, étendu sur son dos, se prélassait dans sa fourrure et, de temps à autre, lui glissait un mot à l'oreille.

L'auto stoppa et se vida de ses occupants. Le chat figea sur place et sa queue hérissée doubla de volume.

— Allons, Motte de Beurre, garde ton calme, lança Alfred de sa voix aigrelette. Personne ne te veut de mal ici.

Mais Motte de Beurre poussa un feulement sourd et prolongé et son dos s'arrondit, ce qui obligea le rat à changer de position.

Tout le monde s'arrêta, craignant que l'animal ne s'enfuie.

— Qu'est-ce que tu fous sur ce chat, Alfred? demanda Antoine. Il pourrait te croquer en deux bouchées.

— Bah... aucun problème. Je l'ai bien en main. Je voulais vous accueillir avec une petite mise en scène. Ça fait de l'effet, hein?

— Ça va faire encore plus d'effet,

rétorqua Alain, quand tu te retrouveras en bouillie dans son ventre.

Alfred ne daigna même pas répondre et sauta en bas du chat. Ce dernier fit quelques pas en arrière, puis s'assit pour observer la scène, l'œil inquiet.

Le rat, bombardé de questions, passait d'une main à l'autre et se laissait couvrir de caresses et de baisers.

— Fed! Fed! réclamait Judith, les bras tendus.

— Arrêtez! arrêtez! vous me chatouillez!

Alain l'enleva à Marie-Anne et, le mettant dans la paume de sa main, plongea son regard dans le sien :

— Alfred, murmura-t-il tendrement, on s'ennuyait tellement de toi... Laisse-nous te tripoter un peu.

— Je ne suis pas quelqu'un à se laisser tripoter, répondit sèchement Alfred.

Mais il se prêta quand même

encore un moment à leurs caresses, ayant peine à retenir des sourires d'aise.

Michel voulut s'approcher de Motte de Beurre, toujours à l'écart, mais le chat se glissa sous un buisson; un moment plus tard, il s'éclipsait dans le parc.

— Pas très sociable, ton ami, Alfred, observa Marie-Anne.

— C'est l'âge. Il doit être aussi vieux que le manoir.

— Où est Roméo? demanda Jean-Guy.

— Il a voulu nous laisser seuls quelques minutes. Chic type. Belles manières.

Il venait à peine de prononcer ces mots que la porte principale s'ouvrit, laissant apparaître Robinet. L'électricien descendit la monumentale volée de marches et s'en vint à leur rencontre en frottant ses mains couvertes de plâtre.

— Salut, tout le monde! Vous

avez fait un beau voyage?

Son regard tomba sur Michel et Robert, et il s'arrêta, l'air vaguement ennuyé.

— Tu peux leur faire confiance, Roméo, le rassura Alfred, perché sur l'épaule de Judith. Ils savent garder un secret. On les a mis dans le coup depuis le début. Jamais ils n'ont révélé à personne que je savais parler. Roméo est électricien, expliqua-t-il aux deux garçons. Je travaille pour lui. Il ne veut pas qu'on le sache, rapport aux concurrents, vous comprenez? Je lui fais gagner beaucoup de temps et d'argent. Certains auraient peut-être l'idée de me kidnapper.

— Tu travailles pour un électricien? murmura Robert, ahuri.

— Et qu'est-ce que tu fais au juste? demanda Michel.

Alfred décrivit rapidement son travail, présenta ses deux amis à Robinet et invita tout le monde à visiter le manoir, inhabité depuis plusieurs mois.

— J'ai commandé du poulet rôti pour le dîner, annonça l'électricien. On pourra manger en arrière sur la terrasse.

— Judith, tu me prêtes Alfred pour une minute? demanda Antoine.

Elle saisit le rat par le milieu du corps et le lui tendit avec un grand sourire. Alfred grimaça, à demi suffoqué, mais ne laissa échapper aucune plainte.

— J'ai des choses à te dire, glissa-t-il à l'oreille d'Antoine quand il fut sur son épaule. Mais je préfère attendre qu'on soit seuls.

Ils circulèrent à travers les pièces, poussiéreuses et à demi démeublées. Certaines étaient immenses. Une enfilade de salons, avec ses colonnes de marbre, ses corniches ouvragées et de grandes fresques représentant des scènes de chasse et de combat d'autrefois fit une profonde impression. On voyait partout des trous dans les murs et les plafonds. À certains endroits, des lattes du plancher avaient été soulevées pour le passage des fils électriques.

— J'ai bien dû en tirer trois ou quatre kilomètres, soupira Alfred. Il y avait des soirs où j'avais tellement mal aux reins que Roméo devait me frotter avec du liniment *Percelapo*.

— Et alors? demanda Antoine.

— Bah! Ça changeait le mal de place.

Roméo Robinet lui tapota le dos en souriant :

— L'avantage quand il se promène dans les murs, c'est que je ne l'entends pas chiâler.

— Allons dîner, coupa le rat. Je meurs de faim. Les pattes me faiblissent.

La table était déjà dressée. Trois

poulets rôtis accompagnés de frites attendaient dans le réchaud de la cuisine.

Pendant le repas, Judith tira sur la nappe et un poulet alla rouler dans le gazon. Une patte jaune surgit d'un buisson et le poulet disparut. Jean-Guy bondit de sa chaise et le retrouva aussitôt, mais il lui manquait une cuisse. Motte de Beurre la dégustait tranquillement à deux pas, couché sur des feuilles sèches. Absorbé dans son repas, il ne daigna même pas lever la tête.

— Allons, viens manger avec nous, au moins, espèce de goinfre, grommela le pharmacien.

— Zoinfre? demanda Judith. Qui, zoinfre?

On voulut jeter le poulet, mais Alfred, scandalisé, le réclama pour lui. Il prétendit que la légère saveur de gazon qu'il avait acquise dans son aventure avait considérablement amélioré son goût.

— À qui appartient ce superbe manoir? demanda Marie-Anne à Robinet.

— À un drôle de zigoto. Un nommé Alphonse Grincefort. Imaginez-vous donc que je dois lui fournir chaque après-midi, à cinq heures tapant... un rapport écrit de mon travail de la journée! Jamais vu ça! Il s'assoit dans un coin pour le lire, puis revient me trouver et là, on part à travers les pièces et je dois lui montrer centimètre par centimètre tout ce que j'ai fait depuis la veille. C'est à rendre fou! Pendant ce temps-là, Alfred niaise dans un plafond ou se promène dans le jardin. Et on dirait que chaque jour le bonhomme devient plus pointilleux. Je vais bientôt devoir compter les craquements de la maison et lui remettre des dessins sur le vol des mouches. Je fais du fric, d'accord, mais j'ai hâte de sacrer le camp d'ici en s'il vous plaît! Voilà pourquoi on travaille sept jours par semaine.

Il s'alluma une cigarette et tira nerveusement quelques bouffées.

— Et, en plus, il s'ennuie de sa blonde, lança Alfred, moqueur. Hier soir, il lui a parlé au téléphone pendant presque deux heures. Et il y a trois jours, elle est venue le rejoindre au motel durant la nuit. J'ai dû dormir sur le perron dans une bouteille thermos. Merci pour le confort!

Marie-Anne fronça les sourcils :

— Alfred, tu manques de discrétion. On n'étale pas ainsi la vie des gens.

Alfred ricanait, lançant des regards de connivence à Alain, tordu de rire au-dessus de sa salade de chou, tandis que Michel et Robert se poussaient du coude.

— Tu devrais t'excuser, intervint Jean-Guy.

— Excuse-moi, Roméo, je suis

le dernier des paniers percés, je mériterais qu'on me glisse le bout de la queue dans une prise de courant. Eh bien, pour éviter de faire une autre gaffe, je vais aller me promener dans le parc. Viens, Antoine, prends-moi sur ton épaule.

— Et nous? qu'est-ce qu'on fait? lancèrent à l'unisson Michel et Robert.

— Vous nous attendez, répondit Alfred avec un sourire glacial.

Ils s'éloignèrent parmi les arbres. Antoine posait des regards émerveillés sur les troncs énormes. L'air sentait la résine et le gazon fraîchement coupé. La brise se mit à souffler et un doux bruissement couvrit la rumeur de la ville.

— Dis donc, Alfred, demanda tout à coup Antoine, est-ce que tu t'intéresses aux rates?

— Mêle-toi de tes affaires, glapit une voix irritée à son oreille.

— Ah ha! On n'aime pas se faire

servir ce qu'on sert aux autres, hein?

Le rat garda le silence. Antoine craignit de l'avoir blessé. Alors, voulant ramener les choses, il lui demanda :

— Qu'est-ce que c'est que cette boîte de métal dont tu me parlais au téléphone l'autre jour? Et qui est Rémi Brandt?

Alfred s'éclaircit la voix, comme pour tenter de surmonter une grande émotion :

— Voilà justement pourquoi je voulais qu'on fasse une promenade ensemble. J'ai des choses très graves à t'apprendre. Et j'ai besoin de ton aide. J'espère que toi, au moins, tu me prendras au sérieux.

8

La première fois où, caché dans un lustre, Alfred avait aperçu Alphonse Grincefort, l'homme lui avait déplu. Il avait beau, à force de vivre chez les Brisson, s'être un peu déshabitué de la crasse, là, vraiment, c'en était trop! L'homme souffrait d'une propreté véritablement scandaleuse! On avait beau chercher, impossible de trouver sur sa personne la moindre tache de graisse, le plus petit accroc, ne serait-ce même qu'une chiure de mouche ou un grain de poussière, toutes choses qui donnent aux gens une allure tellement humaine et sympathique. Il était si désespérément impeccable qu'on avait le goût de se jeter à terre et de donner des coups de poing sur le sol en pleurant. La peau de son crâne et de son visage grassouillet luisait comme le flanc d'une baignoire. On aurait dit qu'un géomètre avait tracé le pli de son pantalon. Il fallait des verres fumés pour regarder ses souliers sans ciller des yeux. Sa cravate fleurie triomphait effrontément sur une chemise d'une blancheur suffocante. Ajoutez à cela des yeux grisâtres qui vous fixaient par en dessous comme pour chercher l'endroit idéal où vous frapper et un petit nez rond qui dansait sans arrêt, comme ballotté par les flots de paroles que déversait une grosse bouche lippue dans une odeur de rince-bouche écœurante.

Alfred souhaita avec ardeur que

l'homme fût une crapule, car il avait vraiment le goût de lui faire du tort! Eh bien! la chance lui avait souri : c'en était une!

Primo : après s'être entendu sur le prix des travaux avec Roméo Robinet, il déclara quelques jours plus tard, voyant la vitesse avec laquelle ils avançaient, qu'il avait surestimé la tâche et demanda une réduction de quinze pour cent. Roméo refusa. Il le harcela. Au bout de trois jours, de guerre lasse, l'électricien finit par plier. À partir de ce moment, Alfred et Robinet travaillèrent plus lentement, de peur d'avoir à subir une autre baisse de revenus.

— En quinze ans de métier, je n'ai jamais vu ça! pestait Roméo. Me demander un rabais parce que je travaille vite! Que des vers lui sortent du nombril! que ses fesses tournent en citrouilles!

Secundo : on s'aperçut qu'il volait

du matériel. Oh! pas grand-chose :
un bout de fil par-ci, quelques vis
par-là, tantôt un commutateur,
tantôt une boîte électrique. Robinet, pour éviter la chicane, fermait
les yeux et absorbait les pertes. À
la fin, il acheta un cadenas et mit
son matériel sous clef.

— On se méfie? lança Grincefort, sarcastique. Y aurait-il un
voleur dans la maison?

«Oui, avait le goût de répondre
l'électricien, et il se trouve dans ta
chemise.»

Et puis, il y avait eu cette histoire de la chambre.

Cela avait commencé d'une bien
étrange façon.

Ils travaillaient au manoir depuis une semaine lorsqu'un après-
midi, vers trois heures, épuisé par
son travail, Alfred demanda la permission à Robinet d'aller dormir
un petit somme.

— Vas-y, vas-y, mon vieux, j'ai

des bricoles à faire pour une bonne heure.

Alfred monta à l'étage, enfila un corridor et aperçut dans un coin un tas de guenilles poussiéreux.

— Voilà ce qu'il me faut, murmura-t-il avec un soupir d'aise.

Il s'endormit aussitôt. Soudain, une sorte de reniflement le réveilla.

Un énorme chat jaune tout perclus, les pattes rigides, le considérait d'un œil à la fois gourmand et mélancolique, comme s'il se rappelait le temps bienheureux des chasses d'autrefois où deux coups de griffes bien placés suffisaient à lui remplir la panse. Alfred le fixait, paralysé par la peur. Aucune issue pour s'échapper, pas le moindre petit trou. Soudain, sans trop réaliser ce qu'il faisait, il bondit au-dessus de l'animal, fila dans le corridor et disparut par une porte entrouverte. Il y avait une chaise sous une tablette tout près d'une armoire. Alfred sauta sur la chaise, grimpa le dossier, s'accrocha à la tablette, réussit à s'y hisser, puis bondit sur l'armoire. Là, il se trouvait en sûreté.

Un clopinement mou et lent se fit entendre dans le corridor et le chat jaune apparut, avançant pas à pas, fatigué, dépité, de plus en plus morose.

— Hé! Motte de Beurre, je suis ici, lança le rat, moqueur. Tu voulais me croquer?

Le chat se rendit jusqu'au milieu de la pièce, puis s'assit devant l'armoire.

— *Miiiowe*, répondit-il, voulant dire par là qu'il aurait bien aimé, en effet, s'envoyer un petit rat dans le gargoton.

— Pauvre toi, t'es trop vieux pour chasser.

— *Miii*, fit l'autre, lui donnant raison.

— Vas-tu m'attendre longtemps?

demanda Alfred, tout à coup inquiet.

— Le temps qu'il faudra, répondit l'autre dans son langage félin.

— Alors, je vais appeler Roméo et il va te botter le cul.

— *Miarrrrww*, rétorqua l'autre, signifiant par là que, de l'endroit où il se trouvait, l'électricien ne pouvait l'entendre et que, de toute façon, il ne pouvait l'empêcher d'exercer ses droits de chasse sur un territoire qui lui appartenait en propre.

Alfred devint pensif :

— Ouais... c'est qu'il peut me faire niaiser un sacré bout de temps, le gros tas.

Au bout d'une dizaine de minutes, Motte de Beurre poussa un énorme bâillement, se leva, franchit la porte et disparut.

— Il est parti se mettre à l'affût, murmura Alfred. Comme si j'étais assez cave pour me jeter entre ses pattes... Gossant, ce chat-là...

Pourrait pas aller se chercher des rats ailleurs? Je ne bouge pas d'ici. Roméo finira bien par me trouver.

Une heure passa. Puis une autre. Soudain la voix de Robinet s'éleva au rez-de-chaussée :

— Alfred! T'es-tu reposé? J'ai besoin de toi.

— Je suis ici! lança Alfred de sa voix grêle et acide, fragile comme un filet de fumée.

Mais elle n'arrivait pas à franchir la pièce.

N'entendant pas de réponse, Robinet parcourut le rez-de-chaussée, puis les autres étages (sans s'approcher de la chambre, hélas!) et sortit bientôt dans le parc, appelant toujours le rat. Sa voix, de plus en plus inquiète, s'éloigna parmi les arbres, puis se perdit au loin.

Le rat étira une patte, puis une autre, alla renifler un petit amas de poussière et, se couchant sur le dos, se mit à contempler le plafond. L'ennui avait rempli sa tête comme d'un épais sirop.

— Maudit chat de malheur! grommela-t-il. Que la foudre le transforme en poutine!

Soudain, des pas se mirent à gravir l'escalier, puis s'approchèrent.

— Roméo? fit le rat en se redressant, incertain.

— Bonjour, mon vieux minou, roucoula la voix mielleuse d'Alphonse Grincefort. Qu'est-ce que tu fais là?

— *Miaow-wow-wow*, répondit le chat.

— Hein? demanda l'autre, sans rien comprendre, comme d'habitude.

— *Miaow-wow-wow !* insista le chat, excédé, montrant la porte d'un mouvement de tête.

— Il devient bizarre, murmura Grincefort en pénétrant dans la pièce. La vieillesse le gagne. Il faudra que je le remplace.

— *Mrrrr !* lança Motte de Beurre en apparaissant dans la porte, ce qu'on aurait pu traduire par : «Va-t'en au diable, vieux con!»

Mais Grincefort n'entendait rien. Il parcourait la pièce, soucieux, prononçant des mots inintelligibles, et finit par s'arrêter devant le mur qui faisait face à l'armoire. Alfred contemplait son pantalon, plus impeccable que jamais, et ses souliers, qui semblaient directement sortis de chez le marchand de chaussures. C'en était révoltant.

Les mains de l'homme se mirent à caresser le mur, exécutant des arabesques étranges.

— Non... non, pas tout de suite... À moins que... Non... C'est trop risqué.

«Mais qu'est-ce qui lui prend? se demanda Alfred, étonné. Est-ce qu'il craque de la citrouille?»

Des pas se firent entendre de nouveau dans l'escalier.

«Enfin! v'là Roméo», se dit le rat, soulagé.

— Robinet! lança Grincefort. Venez ici, je vous prie.

L'électricien apparut, la mine ravagée d'inquiétude :

— Est-ce que vous n'auriez pas vu mon... Excusez-moi. Je n'ai rien dit.

— Je n'aurais pas vu votre quoi?

— Rien. Rien. La langue m'a fourché.

— Si vous m'avez posé une question, insista Grincefort en l'enveloppant d'un regard méfiant, c'est que vous cherchiez une réponse. De quoi s'agit-il?

— Il s'agit de rien.

— Vous me cachez quelque chose. Que me cachez-vous?

— Mais puisque je vous dis que la langue m'a fourché! lança l'autre, excédé.

Puis, comprenant que Grincefort ne lâcherait pas prise, il changea de tactique :

— Bon. Puisque vous insistez... Je cherche... euh... ma queue-de-rat. Voilà. Voilà ce que je cherche.

«Il ne manque pas d'esprit», pensa Alfred en souriant.

— Et qu'est-ce qu'une queue-de-rat, s'il vous plaît?

— Eh bien, c'est une sorte de lime ronde, terminée en pointe.

Alfred, voyant que Grincefort lui tournait le dos, dressa alors sa queue en l'air et se mit à la balancer. Robinet l'aperçut et blêmit de stupeur.

— Eh bien! qu'avez-vous donc? s'étonna Grincefort.

Il pivota sur ses talons et leva la tête vers l'armoire. Mais Alfred avait prévu sa réaction et s'était aplati, devenant invisible.

— Je n'ai pas vu votre lime, mon ami, grogna le propriétaire, qui devinait vaguement qu'on se payait sa tête. Que voulez-vous que je fasse avec une lime?

— En effet.

— Comment, *en effet*? En d'autres circonstances, j'aurais pu fort bien en avoir besoin. Mais dans les circonstances actuelles, je n'en ai rien à foutre. Que voulez-vous sous-entendre avec votre «En effet»?

— Rien du tout, soupira l'électricien. Vous m'avez appelé?

— Oui, je vous ai appelé. Je ne veux pas que vous touchiez à cette pièce.

L'électricien posa sur lui un regard étonné :

— Ah non?

— Je ne m'en sers pas. C'est un débarras où je ne mets jamais les pieds. Pourquoi y dépenser de l'argent?

— C'est que... ce sera la seule pièce de tout le manoir dont le circuit électrique n'aura pas été changé. Ne trouvez-vous pas ça un peu bizarre?

— Il y a des choses beaucoup plus bizarres. Par exemple, que vous discutiez mes ordres. Alors, c'est compris? On ne touche pas à cette pièce.

L'électricien s'inclina avec une moue ironique :

— Entendu, monsieur Grince-fort. C'est vous le patron.

— J'aime vous l'entendre dire, répondit l'autre en le quittant. À demain.

— À demain... espèce de cave, ajouta Robinet quand l'homme fut loin.

Il laissa passer un moment, puis, levant un œil courroucé vers le haut de l'armoire :

— Qu'est-ce que tu fous là, toi? Ne m'entendais-tu pas t'appeler? Je te cherche depuis une demi-heure. Je me mourais d'inquiétude, moi.

— Problème de chat, répondit Alfred en sautant dans sa main. Je n'étais tout de même pas pour me laisser croquer par esprit d'obéissance.

— Un chat? Quel chat?

— Une espèce de vieille boule de poil jaune qui m'est apparue sous le nez tout à l'heure. Elle bouge à peine les pattes, mais je ne voudrais pas me trouver entre ses mâchoires!

— Un chat? D'où sort-il, celui-là? Est-ce que tu ne serais pas en train de me raconter une histoire, par hasard?

— Allons dans le corridor, ordonna Alfred.

On y voyait un vieux paravent et deux crachoirs, mais pas de chat.

Le rat poussa un sifflement. Une sorte de glissement se fit entendre, puis Motte de Beurre apparut dans une porte et se mit à les contempler, à distance respectueuse.

Alfred leva la tête vers Robinet :

— Et alors, l'incrédule? Est-ce qu'on a retrouvé la foi? Dis donc, toi, poursuivit-il en s'adressant au chat, qui t'a amené ici?

— *Miii. Rrrrr. Miaou-ow.*

— C'est Grincefort, traduisit Alfred. Pour chasser les rats. Voilà pourquoi il le laisse sans nourriture, le salaud.

— Tu comprends son langage? s'étonna l'électricien.

— Tous les rats comprennent les chats. C'est une question de survie, voyons.

— Bien sûr. Je suis bête de ne pas y avoir pensé. Il a l'air magané, cet animal.

Installé sur l'épaule de l'électricien, Alfred s'était mis à réfléchir.

— Dis donc, grosse motte, fit-il au bout d'un moment, j'ai un marché à te proposer.

Le chat ne parut pas s'offusquer des façons un peu cavalières d'Alfred et arrondit sa queue en point d'interrogation.

— Que dirais-tu de ceci : on te fournit toute la nourriture dont tu as besoin, mais tu me fiches la paix.

Le regard jusqu'ici plutôt morne de Motte de Beurre s'éclaira :

— *Miaaaaaaaow.*

— Ça te va? Mais pas de tromperies, hein? De toute façon, dans ton état, tu aurais bien du mal à m'attraper. Je te fais cette offre par pure bonté de cœur – et pour la paix de mon esprit.

— Quel politicien tu ferais! s'émerveilla Robinet.

Alfred baissa modestement les yeux :

— Oh, j'ai beaucoup de potentiel. Mais je le cache. Il y aurait trop de jaloux.

— Méfie-toi quand même de ce vieil animal, murmura l'électricien tandis qu'ils descendaient au rez-de-chaussée, suivis de loin par

Motte de Beurre.

— Aucun problème. Je ne me trompe jamais en chats. Il a une bonne fraise. Et puis l'âge lui a enlevé pas mal de férocité. S'il est intelligent pour deux sous, il verra bien que mon offre est une aubaine. C'est ça ou crever de faim.

Robinet se rendit à une épicerie acheter de la nourriture pour Motte de Beurre. Couché sur le rebord d'une fenêtre, Alfred faisait la causette au vieux félin. L'animal le remercia à plusieurs reprises de sa générosité. Ses miaulements semblaient remplis de la plus profonde sincérité.

Pendant qu'il dévorait son repas avec un appétit qui expliquait avec éloquence l'origine de sa grosse bedaine, Alfred décrivit à Robinet l'étrange manège de Grincefort dans la chambre à l'armoire.

— Je suis sûr qu'il nous cache quelque chose, affirma le rat.

— Bof! c'est un vieux toqué. Il est trop imbécile pour fricoter des magouilles, tu penses!

Alfred lui lança un regard sévère :

— Garde-toi bien de le sous-estimer, Roméo. S'il était si imbécile, comment expliquer sa fortune? Les têtes vides ont rarement les poches pleines. Crois-en l'expérience d'un rat qui connaît tous les tuyaux.

Robinet secouait la tête en souriant et ne prenait pas l'affaire au sérieux. Il proposa d'amener souper Alfred chez *Lafleur* (les frites, disait-on, y étaient fameuses et on pourrait manger dans l'auto), puis de finir la soirée au cinéma. Après s'être fait un peu prier, Alfred accepta.

Les frites dépassèrent leurs espérances. Quant au film, il racontait l'histoire de Critien, le fameux pirate à la bouche de travers qui, après une vie consacrée au crime, était capturé par le capitaine Boubouche et finissait ses jours enchaîné sur un radeau au milieu d'un étang à grenouilles. Alfred sortit du cinéma ravi et dans un tel état d'excitation qu'arrivé au motel il eut du mal à s'endormir. Il ne cessait de penser aux caresses bizarres que Grincefort avait faites au mur et à son étrange directive de ne pas travailler dans la chambre à l'armoire.

Le lendemain matin pendant le déjeuner, il revint sur le sujet et tenta de convaincre Roméo Robinet d'examiner ce fameux mur, qui cachait sûrement quelque chose. L'électricien avait hâte de se débarrasser de son travail et de quitter les lieux; il promit mollement d'aller jeter un coup d'œil «s'il en avait le temps», mais Alfred voyait bien que le cœur n'y était pas.

— Bon, ça va, j'ai compris, soupira-t-il. Les esprits lucides vivent dans la solitude.

Et il se mit à siroter mélancoliquement sa tasse de café.

Sur ces entrefaites apparut Motte de Beurre; il leur adressa un miaulement amical et vint se frotter contre les jambes de l'électricien. Il voulut se frotter aussi contre Alfred, mais ce dernier, par prudence, recula au milieu de la table, préférant pour l'instant causer à distance. Le chat avait passé une très bonne nuit, les remerciait pour la délicieuse pâtée qu'il avait trouvée dans son bol au déjeuner et comptait aller faire une petite promenade dans le parc malgré un vilain mal de reins.

— Ah! le mal de reins! je connais ça! s'exclama Alfred après avoir traduit les propos du chat à l'intention de Robinet, qui suivait leur conversation d'un air médusé en grillant une cigarette.

Et Alfred raconta l'aventure qui avait failli lui coûter la vie à l'hôtel de ville de Longueuil.*

Motte de Beurre compatit à ses malheurs, puis, avançant un peu la tête :

— *Mrrrn-wowe ?*

C'était sa façon de lui demander jusqu'à quelle heure il comptait travailler.

— Oh, tard, très tard, répondit le rat. On est débordés.

— Eh bien, si on l'est, au boulot! ordonna l'électricien en le saisissant par la peau du cou. Je voudrais ficher le camp d'ici dans trois jours, moi.

Ils travaillèrent comme des forçats jusqu'à midi, puis, après avoir cassé la croûte tous les trois dans le grand salon (Alfred se laissa approcher cette fois par Motte de

* Voir *Antoine et Alfred*

Beurre et termina même un biscuit au chocolat adossé à son flanc), Robinet et son aide se remirent à l'ouvrage de plus belle.

Alfred ne reparla plus de la chambre à l'armoire. Il avait décidé de l'explorer lui-même. Vers sept heures, l'électricien rangeait ses outils lorsque le rat se planta devant lui avec son plus charmant sourire :

— Que dirais-tu de faire venir de la pizza?

— Ouais... pourquoi pas? murmura l'électricien, épuisé. En attendant qu'elle arrive, je pourrais me reposer un brin.

— J'aimerais avoir, si possible, du pepperoni un peu faisandé, lança Alfred en s'éloignant.

Il grimpa l'escalier et se dirigea vers la chambre. Durant l'après-midi, ils avaient travaillé dans la pièce voisine. Robinet y avait percé au plafond deux trous qui permettaient de se faufiler partout.

Oui, mais comment s'y rendre? Il y avait bien un vieil escabeau dans un coin, mais beaucoup trop lourd pour que le rat songe à le déplacer. Soudain, il sentit quelque chose dans son dos. Motte de Beurre venait d'entrer silencieusement et l'observait.

— Dis donc, toi, fit Alfred, un peu effrayé, tu pourrais frapper avant d'entrer, non?

— Je suis chez moi ici, observa tranquillement le chat dans son langage de chat.

Et il continua de l'observer. Le rat trouva son regard amical et même affectueux; sa méfiance fondit un peu.

— C'est vrai, je l'avais oublié. Toutes mes excuses. Euh... est-ce que je pourrais te demander un service?

— Lequel?

— Pousser cet escabeau jusque

sous le trou qu'on voit là-bas dans le plafond.

— Et pourquoi?

— Je veux... aller faire une petite exploration, histoire de m'amuser. Rien de plus.

Motte de Beurre examina l'escabeau :

— Trop pesant.

— Allons, allons, un costaud comme toi, parler ainsi? C'est une honte!

Au bout de quelques minutes, Alfred réussit à le convaincre de se mettre à l'ouvrage. L'opération prit un bon quart d'heure et laissa le chat affalé dans un coin, complètement épuisé. Pendant ce temps, Alfred avait découvert un vieux clou tordu qui traînait sur le plancher et avait réussi à y attacher un bout de corde. Il grimpa dans l'escabeau, lança à plusieurs reprises le clou dans l'ouverture et finit par le coincer.

— On a fait des drôles de travaux dans la pièce d'à côté il y a trois ans, révéla Motte de Beurre, qui reprenait peu à peu son souffle.

— C'est justement ce que je veux aller voir, répondit Alfred.

Il s'agrippa à la corde et disparut dans le plafond.

Dix minutes plus tard, il réapparaissait, poussiéreux mais l'œil brillant :

— Il y a une grande boîte de métal cachée dans le mur mitoyen. Longue, large et plate. Sais-tu ce que c'est?

— Sais pas, répondit Motte de Beurre. La pizza est arrivée. Je la sens. On va souper?

— Bonne idée. Viens te mettre en dessous de moi. Si je dégringole, tu me serviras de coussin.

❋

— Et voilà, fit Alfred en plongeant son regard brûlant dans celui d'Antoine. J'y suis retourné deux fois. La deuxième, j'ai découvert des lettres gravées au couteau sur un coin de la boîte.

— Rémi Brandt?

— Rémi Brandt.

Ils étaient assis sur un banc de parc, Alfred juché sur l'appuie-bras, ce qui lui évitait d'avoir à se tordre le cou lorsqu'il parlait à Antoine.

— Je les ai transcrites sur un bout de papier, j'ai présenté le papier à Roméo; il m'a demandé où j'avais pêché ça. «Dans le fond de ma poche», que je lui ai répondu. Il n'a pas voulu s'intéresser à mon affaire? Qu'il aille pisser dans un clocher!

— Il faut absolument savoir ce qui se trouve dans cette boîte, murmura Antoine, pensif.

— À nous deux, mon vieux, on va y arriver, l'assura Alfred en lui

donnant une tape d'encourage-
ment sur le bras.

Son regard tomba soudain sur
la tête de Michel qui venait de sur-
gir d'un buisson.

— On nous espionne? fit le rat
d'une voix glaciale.

— On espionne les faiseurs de
cachotteries, répondit Robert en
jaillissant derrière son compagnon.

— Drôle de façon de gagner
notre confiance, ricana Antoine. Il
y a longtemps que vous nous
écoutez?

— On vient juste d'arriver, pré-
cisa Robert. Montez pas sur vos
grands chevaux. De toute façon,
vous auriez fait comme nous. C'est
enrageant, vos petits conciliabules
à la noix.

— De quoi parliez-vous? demanda Michel avec un sourire
provocant.

— Bouche-toi les oreilles et je

te le dirai à voix basse, répondit Alfred.

La discussion continua sur ce ton quelques minutes, puis Robinet apparut et, après les avoir écoutés un instant, sentit le besoin d'alléger l'atmosphère :

— Que diriez-vous d'une baignade? Il y a une superbe piscine dans le gros bâtiment près de la terrasse, et j'ai tous les maillots de bain qu'il faut.

Des cris de joie accueillirent sa proposition. Alfred, qui détestait l'eau, déclara qu'il allait, quant à lui, faire une petite sieste au manoir. Motte de Beurre apparut derrière un arbre et le suivit lentement.

— Je n'aime pas ce chat, murmura Marie-Anne, inquiète, en les voyant passer. Il a l'air sournois.

9

Le rat ne réapparut qu'au milieu de l'après-midi. Antoine avait une bonne nouvelle à lui apprendre : ses parents lui avaient accordé la permission de rester au manoir jusqu'au lendemain soir. Robinet avait accepté de le prendre comme assistant ; Antoine retournerait à Longueuil en autocar.

— Nous pourrons donc ainsi nous occuper de cette fameuse boîte, glissa-t-il à l'oreille du rat.

— Toi, tu es futé, répondit Alfred avec un clin d'œil. Presque autant que moi.

Mais il voyait l'air dépité de Michel et de Robert, obligés, eux, de retourner à Longueuil avec les autres. Même Alain avait peine à cacher sa mauvaise humeur. Alfred, pour les consoler, proposa de les accompagner à la piscine. On pourrait, dit-il, organiser un combat naval sur des radeaux pneumatiques – à condition, bien sûr, que personne ne s'avise de le jeter à l'eau!

Mais l'affaire tourna mal, car, le combat à peine commencé, un radeau tourna à l'envers.

— Au secours! je me noie! je meurs! je suis mort! cria Alfred entre deux gorgées.

Robert le repêcha par la queue – suprême humiliation! – et le déposa sur le bord, où le rat régurgita une bonne tasse d'eau.

— Quel goût infect! Qu'est-ce que c'est que cette soupe? hoquetait-il, furieux. On dirait de l'eau

de Javel! Non! Ne me touchez pas!
Je vous défends de me toucher!

Et, voyant Alain qui s'avançait
avec une serviette de bain pour le
frictionner, il s'élança vers le fond
du bâtiment et disparut par la porte
entrouverte d'un placard.

Tout le monde se regardait.

— L'après-midi est gâché, soupira Marie-Anne.

— Fed fâcé? pleurnicha Judith.
Bu to d'eau?

Soudain, le rat réapparut, tout
souriant, et se dirigea vers Alain :

— Ça va, tu peux me frictionner. Mais attention à mes oreilles,
hein?

On échangea des regards stupé-
faits.

Michel s'approcha d'Antoine :

— Ça lui arrive souvent de changer d'humeur comme ça?

— Il est devenu fou, constata
tristement Robert.

— J'ai trouvé ce qu'il nous fallait

pour ce soir, souffla Alfred à l'oreille d'Antoine quelques moments plus tard. Scie sauteuse, tournevis, perceuse, marteau, tout! C'est dans une boîte de carton au fond de ce placard. Pourvu qu'il ne ferme pas la piscine à clef, maintenant.

— Oui, mais il faudrait passer la nuit ici, objecta Antoine. On n'a jamais fait ça.

— De cela, je m'occupe, promit Alfred.

Le combat naval reprit, mais cette fois-ci Alfred dirigea les opérations du bord de la piscine. Toute cette agitation finit par creuser les appétits. Quelqu'un parla de souper. Robinet s'affairait déjà dehors devant le barbecue, cigarette au bec. Bientôt, deux douzaines de hamburgers atterrirent sur la grande table de la terrasse, tandis qu'Antoine, Michel et Robert arrivaient de la cuisine avec des bouteilles de jus de fruit et de boissons gazeuses.

À neuf heures, il fallut se quitter. Michel et Robert chuchotaient dans un coin, jetant des regards furieux à Antoine et Alfred.

Michel s'avança soudain vers Jean-Guy et, pointant le doigt vers eux :

— Ils complotent quelque chose, monsieur Brisson. On les a entendus cette après-midi dans le parc.

Jean-Guy se tourna vers son fils :

— Que se passe-t-il, Antoine? C'est vrai ce qu'il dit?

— Absolument pas, papa, répondit Antoine avec une imperceptible rougeur. Il s'imagine des choses. On ne complote rien du tout.

Et il est vrai qu'au moment précis où il parlait, il ne complotait pas.

Marie-Anne lui mit la main sur l'épaule :

— Tu nous promets d'être sage, Antoine, hein? Ou on te ramène tout de suite à Longueuil.

L'enfant, de plus en plus mal à l'aise, ébaucha un vague signe de tête. Alfred, voyant la situation se gâter, chercha une diversion et fit semblant de se piquer la bedaine sur la pointe d'un couteau tombé dans l'herbe :

— Ouille! Ouille! Je viens de m'étriper! Qui a laissé traîner ce maudit couteau?

On se précipita autour de lui. Le rat, tordu de douleur, passa de main en main. On le tâta, on le palpa, on le tapota, sans trouver de blessure.

— Ça va, ça va, laissez-moi, je me sens mieux à présent.

Jean-Guy serra la main de l'électricien :

— Merci pour tout. On a passé

une journée formidable. De vraies vacances!

Robinet souriait, intimidé :

— Dommage que je ne possède pas ce manoir. Je vous inviterais souvent.

Il jeta sa cigarette dans l'herbe et alla embrasser Marie-Anne.

— Salut, Alfred, salut, Antoine, lancèrent Michel et Robert avec un sourire funèbre.

Judith saisit le rat et le serra contre elle, ce qui amena encore une fois la pauvre bête au bord de l'asphyxie.

— Il faudrait enseigner à cette enfant un peu de mesure, haletat-il en retombant sur le sol.

— Vous en avez encore pour longtemps? demanda Marie-Anne à l'électricien, qui se rallumait une cigarette.

— Trois jours tout au plus. Et ensuite, bon débarras! La vue de ce maudit Grincefort est en train de me faire pousser des boutons à l'intérieur de la tête!

L'auto démarra, des mains s'agitèrent, le klaxon émit une sorte de petite marche sautillante et bientôt le silence régna de nouveau dans l'immense domaine.

— Enfin seuls, murmura Alfred en s'avançant sur la terrasse. On va pouvoir s'occuper de notre affaire.

Ils se dirigèrent vers la piscine; le rat poussa un sifflement de satisfaction en voyant la porte entrouverte. Pénétrant dans le bâtiment, il se dirigea vers le placard et contempla la boîte de carton pleine d'outils:

— Il faudrait la sortir d'ici. Robinet va sûrement verrouiller cette porte avant la nuit. Prends-la et cache-la derrière un arbre.

Antoine dut se hâter, car la voix de Robinet retentit tout à coup de l'autre côté du bâtiment, se dirigeant vers eux:

— Les amis! Amenez-vous! On s'en va.

Antoine eut tout juste le temps de déposer la boîte derrière un gros pin et l'électricien apparut, un trousseau de clefs à la main. Robinet s'arrêta et sa mine insouciante fit place à un sourire méfiant :

— Qu'est-ce que vous fricotez là, tous les deux?

Alfred leva des yeux candides :

— Ce qu'on fricote? On planifiait notre journée de travail de demain. Des objections?

L'électricien alla verrouiller la porte de la piscine.

— Hum... Je ne suis pas sûr d'arriver à vous croire...

Antoine et Alfred échangèrent des regards inquiets. Ils montaient l'escalier de la terrasse en direction de la fourgonnette stationnée de l'autre côté. Antoine avait pris le rat sur son épaule.

— On a passé une belle journée,

dit-il. Dommage de partir. J'adore être ici.

— Il faut aller se coucher, répondit l'électricien.

— Je n'ai jamais vu une aussi belle maison. Et je n'en verrai sans doute jamais plus.

— Faut pas dire ça. Qui sait? Un jour, tu deviendras peut-être millionnaire.

— C'est loin d'être sûr, soupira Antoine.

— Il n'a pas une tête de millionnaire, remarqua Alfred. C'est à peine s'il a une tête.

— Roméo, reprit Antoine sans daigner relever le délicieux compliment d'Alfred, sais-tu ce qui me ferait plaisir? Ce serait de passer la nuit ici.

— On ne peut pas. Grincefort me l'a défendu.

— Ah oui?

Antoine laissa passer un moment, puis :

— Dommage qu'il te donne tant la frousse, laissa-t-il sournoisement tomber, car on aurait pu...

— Oui, mais que veux-tu? soupira Alfred. Il a la frousse.

Robinet s'arrêta et se tourna vers eux, piqué au vif :

— J'ai la frousse?

— Eh oui, reprit Alfred d'un ton insouciant, comme si on discutait d'une chose sans importance, tu as la frousse. Peut-être pas une très grande frousse, mais la frousse quand même.

— Ce n'est pas si grave que ça, tenta de le consoler Antoine. Bien des gens ont la frousse comme toi.

— Quoique avant-hier, poursuivit cruellement Alfred, quand il t'engueulait au sujet de cette fissure au plafond, j'ai bien cru un moment — excuse-moi, hein? je dis ça sans aucune méchanceté — j'ai bien cru que... t'allais faire dans tes culottes.

— Moi, faire dans mes culottes? s'exclama Robinet.

— Je l'ai cru, en tout cas.

— Faire dans mes culottes à cause d'un minable comme Grincefort?

— Mais c'est qu'il était vraiment déchaîné, tu te rappelles? Sa tête ressemblait à une fournaise chauffée à blanc. On aurait dit que ses yeux allaient exploser. Moi-même, je tremblais.

— Eh bien, ce n'est pas mon cas! riposta Robinet, furieux.

Sa main droite partit d'elle-même en direction de sa poche et réapparut avec un paquet de cigarettes; on entendit le déclic d'un briquet et un point rouge s'alluma dans la pénombre.

— Tu apprendras, mon ami, que des nullités comme Grincefort me font autant d'effet qu'un pet de chien.

Il se racla la gorge, puis:

— Quand il m'engueule, savez-vous quoi? il faut que je me concentre pour ne pas lui bâiller en plein visage.

— Je suis content de te l'entendre dire, répondit Alfred avec un bon sourire. Je croyais jusqu'ici qu'il te donnait la frousse.

— Moi aussi, ajouta Antoine. À ta façon d'en parler, je croyais même qu'il te fichait une *sacrée* frousse.

Robinet haussa les épaules :

— Alors, vous vous êtes trompés, grommela-t-il.

Ils s'approchaient de la fourgonnette. Un épais nuage de fumée enveloppait la tête de l'électricien. Il toussa trois fois, sortit une clef et ouvrit la portière. Antoine et Alfred échangèrent des regards alarmés.

— Ah! et puis je suis trop fatigué pour conduire jusqu'au motel, dit-il soudain. On couche ici.

— Tu es sûr qu'on peut? demanda Antoine.

— Et si Grincefort l'apprenait? susurra Alfred. N'aurais-tu pas peur qu'il fasse une de ces colères...

— Je m'en fous! Allez, suivez-moi. J'ai repéré deux chambres avec de très bons lits du côté nord. On dormira là-bas.

Antoine et Alfred, enchantés du succès de leur stratagème, le suivirent docilement. Par bonheur, les deux chambres se trouvaient éloignées de la pièce à l'armoire; ils pourraient y travailler sans risque de réveiller l'électricien.

Une demi-heure plus tard, Robinet, après une douce pensée pour sa petite Adèle, ronflait à soulever le plafond.

Antoine et Alfred attendirent encore un peu, puis sortirent doucement dans le corridor. Antoine chipa une lampe de poche à l'électricien et alla ensuite chercher la boîte de carton. L'air avait fraîchi. Les arbres bruissaient mystérieusement dans la nuit, comme s'ils échangeaient des secrets. L'enfant voyait à peine le bout de ses pieds. Il faillit trébucher dans l'escalier de la terrasse. L'aventure où il venait de se lancer sans réfléchir le remplissait maintenant de frissons. Si l'affaire tournait mal, que ferait-il? Comment réagiraient ses parents? Et cet abominable Grincefort? La police s'en mêlerait peut-être.

Soudain, tournant la tête, il crut voir une lueur dans la chambre de Robinet. Mais ce n'était qu'un reflet de la lune dans sa fenêtre. Il traversa la pelouse, contourna l'arbre et sentit la boîte de carton sous ses doigts.

L'opération commençait.

10

Afin de pouvoir pratiquer une ouverture, ils durent d'abord déterminer où se situait exactement la boîte de métal dans le mur.

— Que dira Monsieur Grincefort en voyant tous ces dégâts? demanda soudain Antoine, effrayé, comme s'il entrevoyait pour la première fois les conséquences de leur geste.

— Bah! il n'y vient jamais.

— Mais il finira par y venir!

— T'inquiète pas. Je trouverai bien une solution.

Ils passèrent dans la pièce voisine.

L'escabeau y était toujours. Par prudence, ils ne s'éclairaient qu'à la lampe de poche. Antoine grimpa l'escabeau et glissa Alfred dans un des trous du plafond. Le rat tenait entre ses pattes un petit galon à mesurer. Les mesures prirent beaucoup de temps : Alfred avait peine à manipuler le ruban, puis à en faire la lecture, car la minuscule lampe de poche qu'il portait sanglée sur le dos glissait sans cesse de côté.

— Tu notes? lançait-il de sa petite voix aiguë, émoussée par la fatigue. La boîte est à un mètre vingt-deux du plafond. Elle se trouve à... deux mètres sept du mur extérieur. Elle mesure... un mètre sur... deux, exactement.

Il sortit la tête du trou :

— Viens me prendre... Je manque d'air... Le cœur va me claquer.

Il se reposa un moment sur le rebord de la fenêtre qu'Antoine avait ouverte pour laisser entrer la brise.

— Tu n'aurais pas par hasard un peu de limonade? demanda le rat. Le gosier me brûle.

Une bouteille à demi pleine traînait dans un coin, mais une couche grisâtre flottait sur le liquide.

— Ça ne fait rien, ça ne fait rien! Un peu de poussière donne bon goût.

Antoine lui tendit la bouteille; Alfred but deux ou trois gorgées, puis claqua la langue avec satisfaction:

— Ça, ça remonte un rat! Allons, au boulot maintenant! Le plus gros reste à faire.

Antoine transporta l'escabeau dans l'autre pièce et ferma la porte. Ensuite, il traça des marques au crayon sur le mur, puis, à l'aide d'une baguette, il y dessina un grand rectangle qui marquait l'emplacement de la boîte de métal derrière le plâtre. Il saisit alors la perceuse électrique afin de faire un trou à chacun des coins du rectangle et appuya sur le bouton de mise en marche. Un bruit strident éclata dans le silence. Il s'arrêta, terrifié.

— Soda! Roméo va se réveiller!

— Allons donc! Il ronfle si fort qu'on dirait qu'il a une fanfare dans le fond de la gorge.

Antoine descendit de l'escabeau, alla ouvrir la porte et tendit l'oreille dans le corridor. Un moment passa. Personne n'apparut.

Il reprit son travail et perça les quatre trous. Alfred trottinait dans la pièce, en proie à une grande excitation.

— C'est maintenant le tour de la scie sauteuse, lança-t-il de sa petite voix grinçante. Vas-y doucement, hein? On n'a qu'une lame de rechange.

La scie sauteuse faisait encore plus de tapage que la perceuse. À tout moment, Antoine s'arrêtait, allait à la porte et jetait un coup d'œil dans le corridor. Mais ils auraient pu tirer du canon, Robinet n'aurait rien entendu, assourdi qu'il était par ses ronflements. Le travail avançait lentement. Il fallait réunir par un trait de scie les quatre trous percés aux coins du rectangle. L'épaisseur des lattes qui soutenaient le plâtre ralentissait beaucoup Antoine. À trois reprises, il toucha un clou. À la troisième, la lame cassa.

— De grâce, attention! suppliait Alfred. C'est notre dernière lame!

— Je fais de mon mieux, bougonna Antoine.

Finalement, au bout de vingt minutes, le pan de mur rectangulaire émit une sorte de gémissement et tomba à l'intérieur de la cloison avec un bruit de tremblement de terre. La boîte de métal apparut alors au milieu d'un grand nuage de poussière.

— Enfin! murmura Alfred, pris d'une quinte de toux.

On ouvrit toute grande la fenêtre, car l'air était devenu irrespirable. Antoine considéra longuement la boîte qui luisait doucement dans sa cachette. Son poids et ses dimensions la rendaient difficilement manipulable. Alfred eut alors l'idée de placer deux chaises avec des coussins au pied de l'ouverture afin d'amortir sa chute. Après avoir longuement tiré, poussé, pesté et sué, Antoine réussit à la déplacer et elle tomba sur les deux chaises avec un poum! moelleux.

— Bravo! cria Alfred.

— Chut! fit Antoine, un doigt sur les lèvres.

Il avait cru entendre un bruit de pas. Les deux amis se regardaient dans l'éclairage blafard de la lampe de poche, à travers une brume de plâtre qui les avait transformés en fantômes. Au bout d'un moment, Antoine alla à la porte, le rat sur les talons, et l'ouvrit doucement. Personne. Alfred s'avança dans le corridor, regarda de chaque côté, puis éternua.

— Aussi calme que dans les catacombes, conclut-il en revenant. Voyons ce qu'il y a dans cette boîte, maintenant.

Elle n'était fermée que par une targette. Antoine fit glisser la tige, souleva le couvercle et un tableau ancien apparut, sans cadre.

Dans le rayon vacillant de la lampe de poche, ils contemplèrent un vieillard vêtu d'un ample manteau rouge, assis à une table chargée de nourriture, et qui les regardait d'un œil profond et un peu triste. Il portait un drôle de chapeau noir à large bord qui faisait vaguement penser à une crêpe. Sa main gauche, un peu décharnée, reposait sur sa cuisse. Sa main droite tenait une coupe de vin en argent, d'un travail magnifique. On devinait qu'il avait pris quelques gorgées, mais que sa soif s'était éteinte et qu'il pensait à autre chose, à la vie peut-être ou à ses amours de jeunesse. Son visage, amaigri mais encore beau et d'une noble expression, était animé d'un léger sourire. C'était le visage d'un homme qui avait beaucoup souffert mais semblait en paix avec lui-même et à qui on aurait volontiers fait des confidences.

— C'est beau, déclara Alfred.

— C'est magnifique, renchérit Antoine.

Son regard glissa au bas du tableau et une secousse le traversa.

— Alfred! lança-t-il d'une voix étranglée. Ce tableau n'est pas de Rémi Brandt...

Il saisit le rat à pleines mains et planta son regard dans ses yeux :

— C'est de... Rembrandt!

— Ah bon. Et c'est qui, Rembrandt?

— Espèce d'épais! Tu ne le connais pas?

— Bof! tu sais, moi, la peinture...

— C'est un des plus grands peintres qui ait jamais existé. Il vivait au temps des mousquetaires. Il a produit des tas de chefs-d'œuvre!

— Ouais? fit Alfred en reportant son regard sur l'homme au chapeau noir. C'est vrai qu'il est pas mal du tout, ce vieux. Y a l'air plutôt poche dans les sports, mais sa fraise me revient.

Soudain ses yeux s'arrondirent et se mirent à pétiller d'une façon extraordinaire:

— Dis donc... ça veut dire que ce tableau... il vaut cher?

— Des millions!

— On l'aurait donc... volé?

— Et on le cache sans doute ici depuis très longtemps. Parce qu'il est presque impossible à revendre. Trop connu, mon vieux, trop connu. Le voleur se ferait tout de suite repérer.

— Tu trembles, Antoine, murmura Alfred avec un sourire moqueur, je sens ta main qui tremble. Dépose-moi à terre. J'ai peur que tu m'échappes et que je me pète la gueule.

Antoine obéit, puis alla aussitôt fermer le couvercle de la boîte afin de protéger le tableau contre la poussière qui ondulait en lourdes volutes grises.

— Alfred, il faut absolument avertir Roméo. Nous nous sommes fourrés dans tout un pétrin, tu sais. Si jamais Grincefort apprend qu'on a découvert son tableau, il va nous étrangler.

— Qu'il essaye, pour voir ! lança le rat en dressant un museau furibond. Je vais lui faire avaler sa ceinture !

Soudain, des pas s'avancèrent dans le corridor. Ils se regardèrent, terrorisés.

— Éteins la lampe de poche, souffla Alfred, qui, sous le coup de l'émotion, perdit légèrement le contrôle de sa vessie.

La porte s'ouvrit lentement, une ombre apparut et resta immobile un moment sur le seuil.

— Y a quelqu'un? fit la voix craintive de Robinet.

L'électricien, affalé sur une chaise, contemplait le tableau en fumant cigarette sur cigarette.

— Tu ne trouves pas, lança Alfred d'une voix aigre, qu'il y a déjà assez de poussière sans y ajouter ta satanée boucane?

— Excusez-moi, les gars, c'est plus fort que moi.

Il écrasa soigneusement sa

cigarette sur le plancher, mais deux minutes plus tard en allumait une autre.

— Quelle affaire! quelle affaire! ne cessait-il de marmonner. Moi, ça ne m'arrange pas du tout, vous savez : si on appelle la police, il sera tout de suite mis aux arrêts et je ne serai jamais payé!

— Roméo! lança Alfred, scandalisé. Si tu ne le dénonces pas, tu deviens son complice!

— Roméo, tout de même! s'exclama Antoine en posant sur lui un œil sévère.

— Ça va, ça va, je n'ai rien dit.

Robinet pencha la tête, accablé. On aurait dit qu'il regardait filer un à un les 12 587 $ qui auraient dû se poser dans son compte en banque à la fin des travaux. Un mouvement de compassion saisit Antoine. Il lui mit la main sur l'épaule :

— Allons, ne fais pas cette tête-là : le propriétaire du tableau va sûrement nous récompenser.

— C'est vrai! s'exclama Alfred, l'œil tout à coup allumé. Je n'avais pas pensé à cet aspect de la chose. Il va sans doute nous remettre un gros motton.

L'électricien se leva, referma le couvercle de la boîte, puis alla machinalement jeter un coup d'œil dans l'ouverture béante qui avait coûté tant d'efforts à Antoine. La lumière du plafonnier éclairait crûment les entrailles du mur.

— Cercueil! lança-t-il tout à coup en portant la main à sa bouche.

Son visage était devenu livide. Il pointait le doigt vers une petite boîte noire suspendue à un fil dans un coin d'ombre.

Antoine, debout sur la pointe des orteils, avançait la tête, interloqué :

— Qu'est-ce que c'est?

— Mais un émetteur, voyons! Un émetteur qui, au moment où

on se parle, lance des signaux d'alerte! Vous imaginez bien qu'on ne laisse pas un tableau d'une pareille valeur sans surveillance électronique! Grincefort est sûrement en route vers ici. Il arrive dans la minute, si ce n'est déjà fait!

— C'est fait, annonça Alfred, grimpé sur le rebord de la fenêtre.

Ses compagnons se penchèrent au-dessus de lui.

Deux étages plus bas, les phares d'une auto balayaient la terrasse. Ils s'éteignirent, puis on entendit un claquement de portière.

— Vite, balbutia Antoine, tout tremblant, appelons la police.

Mais on avait depuis longtemps suspendu le service téléphonique dans la maison inhabitée. Ils décidèrent alors de sortir du manoir, de se cacher dans un coin, puis, au premier moment propice, de courir à la fourgonnette de Robinet et de filer vers la ville.

Antoine mit Alfred dans la poche de sa chemise et ils sortirent dans le corridor, plein d'une obscurité opaque et silencieuse.

— Il nous a peut-être tendu un guet-apens, chuchota Antoine.

Sa gorge contractée n'émettait plus que des sons grêles et ridicules.

Robinet haussa les épaules dans un signe d'impuissance. Ils s'avancèrent jusqu'à l'escalier, puis tendirent l'oreille. Le manoir dormait d'un sommeil qui ressemblait à la mort. Ils descendirent alors lentement les marches, s'arrêtant à tous moments pour fouiller l'ombre de leurs yeux écarquillés par la peur. Ils arrivèrent ainsi au rez-de-chaussée. Robinet tendit la main vers la droite : dans la pièce voisine se trouvait une porte de service donnant sur une cour, du côté de la fourgonnette. Parvenus à la porte, ils s'arrêtèrent de nouveau et changèrent leurs plans : le moment venu, Robinet se rendrait seul à la fourgonnette tandis qu'Antoine, en se dissimulant derrière les arbustes, se dirigerait doucement vers la grille, qu'on pouvait actionner par une commande installée sur un pilier. Dès que la fourgonnette apparaîtrait, Antoine en déclencherait l'ouverture et sauterait dans le véhicule; cela permettrait d'économiser de précieuses secondes.

La porte de service s'ouvrit sans difficulté (Robinet connaissait le code de sortie), puis se referma avec un léger grincement. À leur gauche s'étendait la terrasse, près de laquelle on apercevait l'arrière d'une auto, à demi cachée par un massif de lilas. À leur droite, invisible, la fourgonnette. Ils se glissèrent sans bruit derrière une vasque de granit et attendirent un moment. Alfred, que tout ce calme terrifiait, éprouvait de plus en plus de difficulté à contrôler le sphincter de sa vessie. Grincefort se trouvait sans doute dans le manoir, à moins qu'il ne se soit tapi près d'eux derrière un buisson, attendant le moment opportun pour les abattre.

— Vas-y, mon vieux, souffla l'électricien au petit garçon. Bonne chance!

Antoine se perdit aussitôt dans l'ombre. Robinet compta jusqu'à vingt, se leva à son tour et fila vers la fourgonnette.

Il ouvrait la portière lorsque Motte de Beurre, caché sous le véhicule, lança un miaulement lamentable et s'enfuit. Défaillant de peur, l'électricien poussa un juron, sauta derrière le volant et glissa la clef d'allumage dans le démarreur. Tout de suite, il sentit une présence derrière lui. Il voulut se retourner, mais un bras s'était déjà levé au-dessus de sa tête, armé d'un gros caillou. La douleur n'eut pas le temps de l'atteindre; il ferma les yeux, ouvrit la bouche et s'affala sur le volant, tout amolli.

— Espèce d'imbécile, marmonna rageusement une ombre en se redressant. Comme si je ne savais pas que tu tenterais de filer!

Motte de Beurre, caché sous la fourgonnette, avait vu Grincefort se glisser silencieusement dans le véhicule, puis, quelques minutes plus tard, il avait reconnu le pas d'Antoine qui se dirigeait vers la grille. Sans comprendre au juste ce qui se passait, il sentait qu'un coup bas se préparait secrètement et que son auteur se trouvait juste au-dessus de sa tête. Avec effroi, il avait vu Robinet s'approcher et avait tenté de l'avertir, mais le pauvre ignorant ne comprenait rien au langage des chats et venait d'en payer le prix.

Un moment passa. Motte de Beurre entendit une série de soupirs et de frottements et devina que Grincefort était en train de ligoter sa victime. Puis la portière s'ouvrit de nouveau, les pieds de son maître se posèrent sur le sol et il le vit s'éloigner dans la nuit. Alors, aussi vite que le lui permettaient ses vieilles pattes, l'animal se hâta vers la grille pour tenter de rejoindre Antoine et l'avertir du danger qui le menaçait.

Par bonheur, à vingt pas devant lui, Grincefort venait de trébucher sur une branche morte et, assis par terre, se massait la cheville en grommelant.

Le chat aperçut Antoine près d'un pilier, frissonnant dans l'obscurité et essayant de se faire aussi petit que possible.

— *Mrrrniow! rrrrrrr... Mrrrniou-iou!* lança-t-il en s'avançant.

— Chut! souffla Antoine, horrifié par ces miaulements qui risquaient de le trahir.

— Quoi? s'écria Alfred en sortant la tête. Vite, Antoine! Ouvre la grille et fous le camp! Grincefort vient d'assommer Roméo et s'en vient vers nous!

Antoine restait immobile, paralysé par la peur. Son corps dégoulinait de sueur, ses oreilles bourdonnaient et l'obscurité tournoyait devant lui comme si quelqu'un l'avait poussé dans un manège. Il leva la main pour actionner la grille. Mais l'idée d'abandonner Robinet à la férocité de son ennemi l'arrêta.

— Qu'est-ce que je vais faire? murmura-t-il d'une voix mourante.

Grincefort apparut soudain, tenant son caillou, et l'aperçut:

— Ne bouge pas, toi! sinon,

je frappe!

Motte de Beurre s'était glissé sous un buisson. Recroquevillé dans la poche d'Antoine, Alfred avait fermé les yeux, les pattes sur ses oreilles, incapable d'en supporter davantage. C'en était fini de tout.

11

Voilà trois heures qu'ils se trouvaient dans la chambre à l'armoire. Le jour se levait. Antoine, frissonnant de fatigue et rongé d'angoisse, regardait sans la voir la lueur rose qui s'étendait peu à peu à l'horizon. Des coliques abominables lui travaillaient le bas-ventre. Grincefort l'avait amené dans la pièce sans dire un mot, avait longuement examiné la fenêtre pour s'assurer qu'il ne pouvait l'utiliser pour s'enfuir, puis avait emporté le précieux tableau, les outils, l'escabeau et même les chaises, verrouillant soigneusement la porte derrière lui. Depuis, pas de nouvelles. Un morne silence régnait sur l'étage. Qu'était-il arrivé à Robinet? Des images horribles se présentaient à son esprit, qu'il s'efforçait en vain de chasser.

Mon Dieu! comme l'absence de ses parents lui pesait! Son seul réconfort était la présence d'Alfred. Par bonheur, Grincefort ne l'avait pas fouillé et ne se doutait pas de l'existence du rat. Il avait longuement questionné Antoine sur la découverte du tableau, qui le stupéfiait, mais le garçon n'avait pas ouvert la bouche. Alors, dans un mouvement de rage, il l'avait giflé à toute volée. Caché dans le plafond et frémissant d'indignation, Alfred avait observé la scène par un trou et contemplé Antoine qui pleurait dans un coin, la lèvre fendue, son chandail taché de sang. L'homme était parti en claquant la porte, puis était revenu avec une bassine d'eau fraîche et une débar-bouillette et avait ordonné à l'enfant de se nettoyer le visage.

— Idiot! grommelait-il. Qu'est-ce que j'avais à m'emporter ainsi? C'est évidemment ce maudit électricien qui a monté le coup.

Il quitta de nouveau la pièce et on entendit ses pas dans l'escalier. Alfred apparut aussitôt par une ouverture. Ses dents grinçaient de rage :

— Ah! le moulin à crottes! le fond de poubelle! Le... le... Si je ne m'étais pas retenu, je lui aurais pissé sur la tête!

— Ça nous aurait bien avancés, soupira Antoine, encore tout tremblant.

Mais le rat s'était immobilisé, comme frappé de stupeur.

— Qu'est-ce que tu as? demanda son compagnon.

— Rien... rien... une idée comme ça...

Il s'installa sur un petit amoncellement de détritus et sembla réfléchir.

Soudain, un long miaulement se fit entendre à la porte : c'était Motte de Beurre ; il leur annonça que Grincefort, après avoir caché le Rembrandt dans un placard derrière un faux fond, venait de partir en auto à toute vitesse, qu'il avait l'air furieux et très inquiet et qu'on ne pouvait deviner ce qu'il mijotait. Le chat était retourné à la fourgonnette. Impossible de savoir si Robinet s'y trouvait encore.

— Il l'a tué ! s'exclama Antoine, livide. Il l'a tué, et maintenant, c'est mon tour ! Demande-lui s'il l'a tué, Alfred.

— Allons, la Motte, qu'en penses-tu ?

Le chat ne croyait pas à un meurtre. Mais il n'avait aucune idée du sort de l'électricien. Et il regrettait vivement de ne pouvoir leur glisser la clef sous la porte pour leur permettre de s'enfuir; Grincefort l'avait gardée dans sa poche.

— Merci quand même, mon vieux, répondit le rat. Si tu apprends autre chose, fais-le-nous savoir.

Et il retourna sur son tas de détritus poursuivre ses réflexions.

Antoine se promenait de long en large, les mains derrière le dos, les doigts crispés. Ses coliques ne le lâchaient pas. Plusieurs fois il s'était penché par la fenêtre pour voir s'il aurait pu en sauter; mais, d'une pareille hauteur, la chute aurait été mortelle.

Le soleil touchait maintenant la cime des arbres. Il approchait neuf heures. Le rat sortit tout à coup de sa méditation :

— Excuse-moi quelques minutes. J'ai une petite exploration à faire.

— Où vas-tu?

— Pas loin, fit l'autre en disparaissant par un trou.

— Reviens vite, supplia Antoine. Ne me laisse pas seul!

Sa lèvre enflée et son teint pâli par l'insomnie lui donnaient un air si misérable que le rat en ressentit comme un coup au cœur et sa rage contre Grincefort enfla encore un peu.

L'absence d'Alfred dura quelques minutes. Quand il revint, l'air satisfait, Antoine pleurait silencieusement, affalé dans un coin.

— Qu'est-ce que tu fichais? demanda le garçon.

— Tu verras.

— Je verrai quoi?

— Tu verras ce que tu verras, se contenta de répondre Alfred en se rendant à la bassine dont s'était servi Antoine pour se laver. Je prépare quelque chose.

Et il se mit à boire l'eau rougie. Antoine grimaça :

— Eurk! C'est plein de sang!

— Et alors? fit le rat en levant la tête. Le sang, c'est la vie.

Et il replongea le museau dans la bassine.

— Ouf! je n'en peux plus, soupira-t-il au bout d'un moment. La bedaine va m'éclater.

— Personne ne te force à boire. «Est-ce qu'il ne deviendrait pas fou?» se demanda Antoine avec inquiétude.

Le temps passait.

Soudain, un grattement se fit entendre derrière la porte:

— Attention! il s'en vient, annonça Motte de Beurre.

Et il s'éloigna aussi vite qu'il le pouvait tandis qu'Alfred disparaissait dans le mur.

La serrure cliqueta et Grincefort apparut, tenant une petite trousse de cuir noir. Il referma soigneusement la porte derrière lui.

— Qu'est-ce que c'est, ça?

demanda Antoine, alarmé, en pointant le doigt vers la trousse.

— C'est la solution de mes problèmes... et de *tes* problèmes, ajouta l'homme avec un sourire doucereux qui acheva de terroriser l'enfant. Bon, bon, bon, du calme. Ça ne fera pas mal. Ou à peine.

Il ouvrit la trousse, en sortit une seringue. Antoine poussa un cri :

— Vous voulez me tuer!

Grincefort rougit d'indignation :

— Allons! ne dis pas de sottises! Je collectionne les tableaux, pas les meurtres, tout de même! Cette injection n'aura d'autre effet que de te faire oublier tout ce qui s'est passé depuis deux ou trois jours. Elle va t'enlever des mauvais souvenirs – et à moi, beaucoup de soucis!

— Je ne vous crois pas!

— Ça m'est bien égal, fit l'autre en s'approchant.

— Ça va me détraquer le cerveau! hurla l'enfant. Ça va me rendre idiot!

— Si peu... si peu qu'on ne s'en apercevra même pas. Écoute, cesse de gigoter, sinon je vais casser l'aiguille dans ton bras et il faudra tout recommencer. Regarde comme elle est fine, on dirait presque un dard de maringouin, tout petit, tout mignon. Tu ne sentiras rien, je te jure. Ma piqûre va te faire dormir quelques heures, c'est tout. À ton réveil, tu vas te retrouver avec ton ami Robinet dans sa fourgonnette, quelque part sur une route de campagne. Vous aurez un gros mal de tête, et puis c'est tout. Écoute, je n'ai pas le choix. Il faut que j'élimine des témoins gênants. À part la manière... forte, il n'y a pas d'autre solution, comprends-tu?

Il levait la main, prêt à le piquer, lorsqu'un jet de liquide chaud gicla sur son crâne, coulant dans son visage, éclaboussant ses épaules.

— Qu'est-ce que c'est que ça? s'écria-t-il en bondissant de côté. Pouah! De l'urine!

Alfred sortit la tête du trou et lui sourit de toutes ses dents.

— Un rat! hurla Grincefort, horrifié. C'est de l'urine de rat! Dégoûtant! dégoûtant! Sale bête! J'aurai ta peau!

Il s'élança vers la porte et sortit, prenant soin, comme chaque fois, de verrouiller derrière lui. Alfred apparut dans le corridor et le suivit à bonne distance tandis qu'il descendait l'escalier au pas de course. Le rat jubilait : tout se déroulait comme prévu. Grincefort venait de se précipiter dans une chambre et enlevait ses vêtements à la hâte. Puis il s'enferma dans une salle de bains et on entendit le bruissement d'une douche.

Ne perdant pas une seconde, le rat trottina jusqu'au pantalon jeté à terre, en extirpa un trousseau de clefs, le glissa autour de son cou et partit à la course. La montée de l'escalier lui donna beaucoup de mal. Ses reins élançaient et les tintements des clefs l'affolaient, car ils risquaient d'alerter Grincefort. Enfin, le rat parvint à la chambre où était enfermé son ami, glissa le trousseau sous la porte et, après quelques tâtonnements, Antoine réussit à faire jouer la serrure.

— Merci, mon vieux ! s'écria-t-il en bondissant dans le corridor.

— Prends-moi ! prends-moi ! je n'arrive pas à te suivre ! lança Alfred, affolé.

Tandis que Grincefort fouillait en grommelant dans une commode à la recherche de linge de rechange, Antoine dévalait un escalier de service et arrivait au rez-de-chaussée. Il n'y avait qu'une issue du côté nord. Il s'y buta : la porte semblait condamnée. Alors, apercevant une lampe-potiche sur un guéridon, il la lança de toutes ses forces dans une fenêtre. Le système d'alarme se mit à sonner avec une rage d'enfer. Mais Antoine était déjà loin, courant vers la grille. Il l'actionna et fila dans la rue, hors d'haleine, mort de peur, ivre de joie : il était libre! Alfred, pelotonné dans sa poche, s'accrochait de toutes ses forces au tissu. Une auto s'arrêta. Antoine s'y précipita et, d'une voix hachée, raconta son histoire à un vieux monsieur. Vingt minutes plus tard, deux policiers s'amenaient au manoir. Grincefort venait de filer, bien sûr. On retrouva Robinet en train de ronfler dans sa camionnette. Personne ne parvint à le réveiller. Motte de Beurre apparut et, à force de miaulements, réussit à amener tout le monde devant le placard où se cachait le Rembrandt.

— Enlevez le faux fond, imbéciles, marmonnait Alfred, toujours pelotonné dans la poche d'Antoine.

— Je crois qu'il y a un faux fond, messieurs, fit ce dernier en pénétrant dans le placard.

Et, sous le regard médusé des policiers, il réussit à déplacer une section de mur et la boîte de métal apparut.

Motte de Beurre se frottait de contentement contre un cadre de porte.

— Un Rembrandt! s'écrièrent les policiers, de plus en plus ahuris. Un vrai Rembrandt?

Et ils contemplaient respectueusement l'homme au chapeau noir qui les regardait avec son air de bonté un peu triste.

12

On arrêta Grincefort à l'aéroport de L'Ancienne-Lorette au début de la soirée. Il n'opposa aucune résistance et avoua tout sans difficulté. L'ahurissement l'avait rendu comme idiot. Par moments, il se croyait dans un rêve.

— Mais comment a-t-il fait? Comment a-t-il fait? ne cessait-il de murmurer en regardant les gens avec un étrange sourire.

Et, de la paume de la main, il frottait son crâne chauve dans un geste circulaire.

Un expert vint examiner le

Rembrandt et déclara le tableau authentique. On l'avait volé le 7 juillet 1936 au musée Mauritshuis à La Haye aux Pays-Bas et toutes les recherches pour le retrouver avaient été vaines. Grincefort l'avait acquis trois ans plus tôt dans le but de le revendre un jour avec l'espoir d'un plantureux profit.

Robinet avait fini par se réveiller. L'injection lui avait fait perdre tout souvenir de ce qui s'était passé depuis trois jours, mais on lui raviva rapidement la mémoire. Il vint à deux doigts de révéler l'existence d'Alfred, mais, par bonheur, se retint à temps.

La famille d'Antoine était venue le rejoindre à Québec. Et ce fut dans une suite de l'hôtel Clarendon, parmi une foule de journalistes, de caméramen et de photographes, qu'Antoine téléphona lui-même au directeur du musée de La Haye pour lui annoncer la découverte du célèbre tableau volé.

— Monsieur Rip Van Hoop Noot, s'il vous plaît, demanda-t-il, tout frémissant (il avait pris soin de répéter le nom plusieurs fois à voix basse avant de prendre l'appareil).

— Lui-même, répondit une voix avec un fort accent hollandais.

— Bonsoir, monsieur Van Hoop Noot. J'ai une bonne nouvelle à vous annoncer : nous venons de découvrir un tableau de Rembrandt qu'on vous avait volé il y a très longtemps.

Le silence s'allongea démesurément au bout du fil.

— Qui parle, s'il vous plaît? demanda enfin la voix, stupéfaite.

— Antoine Brisson, monsieur. Je vous téléphone du Québec.

— Et... de quel tableau s'agit-il?

— De *L'Homme au chapeau noir*, monsieur, un très beau tableau, comme vous savez.

Et il lui raconta toute l'histoire,

en évitant, bien sûr, de nommer Alfred.

Un expert prit le combiné et confirma son récit.

— J'a... j'arrive par... par le premier avion, déclara Monsieur Van Hoop Noot dans un état d'excitation qui lui avait presque coupé la respiration.

Il se présenta le lendemain après-midi au musée de Québec, où on conservait le tableau sous bonne garde. C'était un homme aux cheveux ébouriffés, l'air très sérieux, avec une petite bouche toute plissée, des yeux bienveillants et un nez lisse et rose qui ressemblait à un bonbon. Les fatigues du voyage lui avaient considérablement cerné les yeux.

La bouche agitée par un tic qui faisait palpiter ses lèvres avec un curieux petit clapotement, il examina longuement le tableau et en confirma lui aussi l'authenticité au cours d'une conférence de presse qui fut diffusée sur toute la planète.

Puis il amena Antoine et toute sa famille chez *Laurie Raphaël*, rue Dalhousie, où on leur servit un repas inoubliable.

— Allons, allons, il faut goûter à ce vin, insistait-il en tapotant l'épaule d'Antoine. Tu n'auras peut-être pas souvent l'occasion d'en boire d'aussi excellent, mon garçon!

Sur un signe d'assentiment de ses parents, ce dernier prit une gorgée, par politesse, mais Monsieur Van Hoop Noot avait beau lui vanter ce «cru extraordinaire», Antoine aurait préféré un verre de soda mousse. À la fin, il le déclara.

— Quel merveilleux petit garçon! s'exclama le conservateur en éclatant de rire. Il ira loin dans la vie, car il n'en fait qu'à sa tête!

— Alors là, vous dites vrai, soupira Monsieur Brisson.

Alfred participait secrètement

au repas, caché dans une boîte qu'Antoine avait apportée en disant qu'elle contenait «des objets personnels». De temps à autre, il choisissait discrètement un bon morceau dans son assiette et le refilait au rat, qui s'empiffrait en poussant des soupirs d'aise, étendu sur un petit coussin.

Au moment du dessert, Monsieur Van Hoop Noot remit à Antoine une récompense qui le paya largement de toutes ses peines.

— Nous sommes également à la recherche d'un Vermeer, *La Leçon de géographie*, qu'on nous a volé il y a trois ans. Si jamais tu mets la main dessus, Antoine, je t'offre le double.

— Je vais voir ce que je peux faire, monsieur, répondit l'enfant avec un sourire modeste.

— Allons, appelle-moi Rip. Nous sommes entre amis.

Puis le conservateur se tourna

vers Robinet :

— Combien vous devait cette canaille de Grincefort pour les travaux que vous avez effectués à son manoir?

— 12 587 $, monsieur.

Van Hoop Noot sortit un chéquier :

— 20 000 $, ça vous va?

— Euh... ça me très va, bafouilla l'électricien, qui en oubliait son français.

Quelques jours plus tard, Antoine s'achetait une nouvelle bicyclette et amenait Alfred au cinéma voir *Des souris et des hommes*; Alfred adora le film, mais le trouva un peu triste. La tristesse le portant à manger, il avala trois sacs de croustilles, ce qui lui causa des brûlures d'estomac.

Michel et Robert décidèrent de

donner une grande fête aux deux héros. Cela déclencha une discussion un peu vive, car chacun d'eux prétendait avoir eu l'idée en premier ; mais on s'arrangea finalement pour déclarer que Robert avait pensé à fêter Alfred et Michel à fêter Antoine.

Le rat trônait dans un fauteuil aux côtés de Motte de Beurre, que les Brisson venaient d'adopter, car son maître logeait depuis quelque temps dans une magnifique prison, pourvue de serrures dernier cri.

On avait invité Robinet, bien sûr, et ce dernier avait réussi à convaincre Adèle de l'accompagner. La pauvre fille jetait au rat des regards craintifs, se tenant à bonne distance, touchant à peine à son gâteau et ne prenant guère de plaisir à la fête. Alfred évitait de

la regarder, de peur de l'effa-
roucher. Soudain, levant la tête, il
lui adressa un de ces sourires dont
il avait le secret :

— Vous êtes vraiment mignonne,
vous savez. Roméo a bien de la
chance de vous avoir comme amie.

Alors, il se produisit comme un
miracle. À la grande surprise
d'Alfred, elle lui adressa à son tour
un grand sourire et fit trois pas
vers lui :

— Je voudrais bien ne pas avoir
peur de vous, vous savez. Mais
c'est plus fort que moi.

— Allons, un petit effort, répondit le rat d'une voix caressante.
Approchez-vous encore un peu. Je
suis un bon garçon. Je ne me fâche
que contre les coquins. Quand je
vous regarde, je sens comme du
velours à l'intérieur de moi.

Ils causèrent ainsi une dizaine
de minutes. Tout le monde, par
discrétion, faisait semblant de ne

rien voir. Motte de Beurre feignait de dormir. Bientôt, ils se tutoyèrent.

— Est-ce que tu veux me prendre sur ton épaule? demanda tout à coup Alfred. J'adore cela. Le point de vue est magnifique. Et puis j'aime ton parfum.

Adèle hésita, puis finit par accepter. Finalement, elle devint tout à fait à l'aise.

— Un de ces jours, j'aimerais friser tes moustaches, confia-t-elle au rat.

Alfred sentit une légère réticence, mais se garda bien de la montrer :

— Quand tu voudras.

Roméo s'approcha de son amie et l'embrassa sur la joue :

— Alors, là, tu es vraiment apprivoisée. Tout ira bien.

Des applaudissements éclatèrent et on trinqua à l'amitié d'Adèle et d'Alfred.

Michel se planta devant le rat et,

l'air doucement insolent :

— Avec tout cet argent que tu viens de gagner, Alfred, est-ce que tu vas te plonger dans la paresse ou continuer à travailler?

— Travailler, mon vieux, répondit Alfred, et plus que jamais! J'ai même l'intention de m'atteler à un petit projet qui risque d'embêter bien des gens!

Et il dressait le museau en l'air, mystérieux, impertinent.

Tout le monde le regardait en souriant, mais l'œil un peu inquiet.

FIN

Longueuil, le 4 septembre 1996

QUÉBEC/AMÉRIQUE JEUNESSE

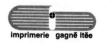

imprimerie gagné ltée

IMPRIMÉ AU CANADA